LA VIE DES AFFAIRES

La Vie des affaires

AN INTRODUCTION TO FRENCH BUSINESS AND BUSINESS LANGUAGE

ALFRED FONTENILLES
CESA (Centre d'Enseignement Supérieur des Affaires), Jouy-en-Josas

MARK HEIMERDINGER

MACMILLAN PUBLISHING CO., INC.
New York
Collier Macmillan Publishers
London

MACMILLAN PUBLISHING CO., INC.
866 Third Avenue, New York, New York 10022

COLLIER MACMILLAN CANADA, LTD.

Library of Congress Cataloging in Publication Data

Fontenilles, Alfred.

La vie des affaires.

Includes index.
1. French language—Business French.
I. Heimerdinger, Mark, joint author. II. Title.
PC2120.C6F6 650'.141 80-21469
ISBN 0-02-338700-9

Printing: 1 2 3 4 5 6 7 8 Year: 1 2 3 4 5 6 7 8

REMERCIEMENTS

Nous tenons à exprimer toute notre reconnaissance à la Chambre de Commerce et d'Industrie de Paris ainsi qu'à nos collègues, professeurs et administrateurs, du Centre d'Enseignement Supérieur des Affaires auprès de qui nous avons trouvé, avec beaucoup d'encouragements, une aide stimulante et efficace.

PREFACE

Au cours des vingt-cinq dernières années, l'image et la perception de la France ont subi de profonds changements. Pendant des générations avait dominé—à tort ou à raison—le stéréotype, irritant pour l'orgueil national, d'une nation essentiellement tournée vers la recherche du plaisir. Le Français semblait se satisfaire d'un horizon limité culturellement à l'hexagone, ou débordant, le cas échéant, sur un empire colonial auquel on avait naïvement imposé des ancêtres gaulois. Certes, la France pouvait se prévaloir d'une longue tradition de pionniers, de découvreurs et bâtisseurs d'empires. Mais, contrairement à la Grande-Bretagne, elle n'avait pas fait du négoce un évangile. Le commerce dont on lui concédait volontiers la supériorité était celui des produits dits de luxe, parfums, haute couture, vins fins.

C'est cependant pour d'autres raisons que la France est devenue aujourd'hui la deuxième puissance économique de l'Europe et la quatrième du monde occidental derrière les Etats-Unis, l'Allemagne et le Japon. Elle s'est taillé une place appréciable dans le domaine industriel et, en particulier, dans celui de la haute technologie.

Notre ouvrage a eu pour premier objectif de mettre à la disposition des professeurs de français et de leurs étudiants un matériel destiné à illustrer de diverses façons cette nouvelle vie des affaires. Chacun des quinze chapitres s'articule autour d'un **dialogue** qui sert de support à une «histoire» suivie, celle de Jean-Paul Dupré, jeune diplômé d'une Grande Ecole française. Son insertion progressive, au fil des chapitres, dans le monde de l'entreprise nous a semblé le meilleur moyen de parvenir à une présentation authentique des techniques qui le caractérisent et des personnages qui l'animent à tous les niveaux, bref, de tout ce qui constitue l'environnement dans lequel l'homme d'affaires travaille. Le texte de **lecture** a pour but de compléter les informations apportées dans le dialogue.

Nous avons cherché à accumuler un répertoire aussi abondant que possible des termes appartenant à ce qu'il est convenu d'appeler aujourd'hui le français des affaires, ainsi que des expressions et tournures idiomatiques largement utilisables pour développer la connaissance directe et pragmatique de la langue contemporaine.

On ne trouvera dans cet ouvrage aucune référence systématique à la grammaire. Nous avons considéré comme déjà connues un certain nombre de données de base. Il sera facile aux professeurs et étudiants de trouver dans des manuels spécialisés les explications et les éclaircissements d'ordre grammatical dont ils auront besoin.

Les notes placées après les dialogues et les lectures ont pour but d'en rendre la compréhension plus rapide. On pourra consulter le **lexique** à la fin du livre pour une exploitation plus détaillée des textes et des documents.

Notre deuxième objectif—en réalité indissociable du premier—est de fournir des outils pour l'apprentissage linguistique qui permettent d'atteindre une maîtrise «opérationnelle» de la langue des affaires. D'où les différents exercices proposés dans chacun des chapitres:

- **Compréhension et conversation.** A partir de la reformulation inspirée du teste, on stimule la communication orale qui constitue la compétence la plus couramment souhaitée par l'employeur.
- **Vocabulaire.** Un complément de vocabulaire est mis à la disposition de l'étudiant, accompagné d'exemples pratiques d'utilisation et d'un exercice de réemploi intitulé «Et maintenant, testez-vous».
- **Questions.** La réponse se fera sous forme de phrase complète: (1) oralement, et il s'agit là d'un prolongement de l'exercice de compréhension et de conversation; (2) par écrit. Il s'agit alors d'une première étape vers l'exercice d'«écriture», c'est-à-dire de traduction ou de rédaction, demandé plus loin.
- **Traduction.** Traduction de l'anglais au français destinée à faciliter l'assimilation du vocabulaire et des expressions, surtout techniques, présentés dans chaque chapitre.
- Les **thèmes de discussion et de débat** se situent à un niveau de communication plus élaboré. Ils cherchent à susciter la réflexion de l'étudiant, le plus souvent par comparaison avec son propre système de valeurs, à provoquer l'échange par la discussion à l'intérieur du groupe et, ainsi, à donner de la vie des affaires en France une connaissance plus personnelle et vivante.
- **Exercice de correspondance commerciale.** Nous avons choisi de familiariser l'étudiant avec le genre de correspondance dont il ressentirait l'utilité immédiate. Les deux premiers modèles—lettre de candidature et réponse de l'entreprise—figurent en documents au Chapitre 2. Les lettres suivantes, jusqu'au Chapitre 10 inclus, servent d'abord de support à un exercice de vocabulaire ou de traduction du français à l'anglais. L'analyse attentive de ces différents types de lettres donnera à l'étudiant la possibilité

d'approfondir sa connaissance de la langue. Il pourra aussi s'adapter graduellement aux formes variées de la correspondance française avec ce qu'elle a de spécifique, par exemple les formules de politesse. Nous proposons, en outre, des exercices de composition contrôlée qui dépassent parfois le cadre de la correspondance commerciale proprement dite: rédaction d'un curriculum vitae, de rapports, de circulaires et descriptions diverses dont les éléments principaux sont fournis dans le chapitre en question ou dans les précédents.

- Nous avons voulu enfin mettre à la disposition de l'étudiant trois **tests de vocabulaire** portant sur le vocabulaire spécialisé, un tous les cinq chapitres, les bonnes réponses étant fournies en page 170. Destinés à vérifier l'assimilation de certains termes, ils pourront être repris régulièrement, la répétition conduisant à la maîtrise spontanée du sens et de l'utilisation de ces termes techniques. Il ne s'agit nullement de tests-examens. L'essentiel, à nos yeux, reste la rapidité, la sûreté et le caractère quasi mécanique des réflexes linguistiques sollicités.

Autrefois considérées comme un simple élément du développement personnel de l'individu, les langues étrangères sont maintenant reconnues comme un outil indispensable pour exercer un grand nombre de professions. L'entreprise est placée au cœur d'un ensemble de relations nationales et internationales particulièrement importantes. La vie des affaires participe aujourd'hui au dialogue des cultures dans la mesure où celles-ci s'identifient à toutes les dimensions de l'activité économique, commerciale et industrielle.

Dans une modeste mesure, notre ouvrage espère en faciliter la compréhension pour ce qui concerne la France.

Alfred Fontenilles

TABLE DES MATIERES

		Remerciements		iv
		Préface		v
		Documents		xi
Chapitre	**1**	DIALOGUE:	Après HEC	3
		LECTURE:	La Propriété individuelle	12
Chapitre	**2**	DIALOGUE:	L'Entretien	14
		LECTURE:	Les Sociétés	23
Chapitre	**3**	DIALOGUE:	Les Biscuiteries Réunies S.A.	29
		LECTURE:	L'Organisation des entreprises	38
Chapitre	**4**	DIALOGUE:	Les premiers pas	42
		LECTURE:	Le Marketing	46
Chapitre	**5**	DIALOGUE:	Le Déjeuner d'affaires	50
		LECTURE:	La Distribution	54
		Test de vocabulaire I		59
Chapitre	**6**	DIALOGUE:	La Tournée	61
		LECTURE:	La Vente	66
Chapitre	**7**	DIALOGUE:	Le Langage des chiffres	70
		LECTURE:	La Comptabilité	75
Chapitre	**8**	DIALOGUE:	Le Conseil d'administration	81
		LECTURE:	Le Pouvoir dans l'entreprise	86
Chapitre	**9**	DIALOGUE:	Le Lancement	92
		LECTURE:	La Publicité	97
Chapitre	**10**	DIALOGUE:	L'Investissement	102
		LECTURE:	La Banque	107

Test de vocabulaire II 115

Chapitre 11 DIALOGUE: L'Ere de l'ordinateur 117
LECTURE: L'Informatique 122

Chapitre 12 DIALOGUE: Un Conflit social 126
LECTURE: Les Syndicats 131

Chapitre 13 DIALOGUE: On n'arrête pas le progrès 136
LECTURE: Recherche et développement 141

Chapitre 14 DIALOGUE: Un Mariage de raison 144
LECTURE: Les Concentrations 149

Chapitre 15 DIALOGUE: La Promotion 154
LECTURE: Le Commerce international 160

Test de vocabulaire III 167

Epilogue 169

Réponses aux tests de vocabulaire 170

Lexique 172

DOCUMENTS

1. Carte de France par régions 2
2. CESA 5
3. L'enseignement supérieur en France 6
4. L'enseignement de la gestion 7
5. L'Ecole des Hautes Etudes Commerciales (HEC) 8
6. Curriculum vitae 9
7. Petite annonce 17
8. Lettre 18
9. Lettre 19
10. Le coût de la protection sociale 20
11. SA / SARL 24
12. Organigramme des Biscuiteries Réunies S.A. 31
13. Produit National Brut (PNB) des 10 premiers pays du monde en 1978 32
14. Les 10 premières sociétés françaises de services en 1978 33
15. Les 15 premières entreprises industrielles françaises en 1978 34
16. Les 15 premières entreprises commerciales françaises en 1978 56
17. Bilan au 31/12/198– 76
18. Compte de résultat 79
19. Le pouvoir dans l'entreprise 87
20. La Communauté Economique Européenne (CEE) 88
21. Télévision et radio 99
22. Le chèque 109
23. Le système bancaire en France 110
24. Les 10 premières banques françaises en 1978 111
25. Le service informatique, centre nervux de l'entreprise 123
26. Les principaux syndicats 132
27. Un exemple de concentration et de diversification 150
28. La concentration industrielle 151
29. La balance commerciale 163
30. Le crédit documentaire 164

LA VIE DES AFFAIRES

CARTE DE FRANCE PAR REGIONS

Chaque département a son numéro (voir carte). On retrouve ce numéro dans les deux premiers chiffres du code postal (*zip code*).

DOCUMENT 1

CHAPITRE 1

DIALOGUE

Après HEC[1]

Jean-Paul Dupré est sur le point de[2] terminer ses études à l'Ecole des Hautes Etudes Commerciales (HEC). Jeune, ambitieux et dynamique, il aspire à voler de ses propres ailes,[3] c'est-à-dire à créer un jour sa propre entreprise. Il est venu demander conseil à son professeur de droit des affaires,[4] Madame Leclerc.

J.P. DUPRÉ: Bonjour Madame. Je vous remercie d'avoir pris le temps de me recevoir.

MME LECLERC: Bonjour Dupré. Vous voilà presque diplômé.[5] Le temps a passé vite. Que puis-je faire pour vous?

J.P. DUPRÉ: J'ai besoin d'un avis éclairé[6] avant de prendre une décision qui engage[7] mon avenir immédiat.

MME LECLERC: Avec plaisir. Je vous écoute.

J.P. DUPRÉ: J'ai l'esprit plutôt indépendant. J'aimerais créer une entreprise. J'ai déjà beaucoup d'idées sur ce sujet.

MME LECLERC: Je n'en doute pas, mais il faut faire le tour du problème avec lucidité. Par exemple, disposez-vous[8] d'un capital important?[9]

J.P. DUPRÉ: Non, malheureusement! Un de mes oncles commerçant[10] est prêt à m'aider, mais dans des limites modestes.

[1] **HEC** business school located near Versailles
[2] **être sur le point de** to be on the verge of, be about to
[3] **voler de ses propres ailes (aile,** *f* wing) to stand on one's own feet
[4] **droit** (*m*) **des affaires** business law
[5] **diplômé** graduated
[6] **éclairé** informed, knowledgeable
[7] **engager** to concern, implicate, involve
[8] **disposer de** to have at one's disposal
[9] **important** large, considerable
[10] **commerçant** (*m*) in the retail trade

MME LECLERC: Vous savez que la propriété[11] individuelle de l'entreprise assure une grande indépendance. Cependant, dans notre système fiscal, elle est soumise à de multiples contraintes[12] et à de fortes impositions.[13]

J.P. DUPRÉ: C'est la raison pour laquelle je chercherai à constituer[14] une société.[15]

MME LECLERC: Votre capital n'est pas assez important pour envisager la société anonyme[16] et même la société à responsabilité limitée.[17]

J.P. DUPRÉ: Hélas!

MME LECLERC: Vous avez toujours la possibilité d'obtenir une aide[18] de l'Etat qui encourage la création d'entreprises.

J.P. DUPRÉ: C'est peut-être un peu prématuré.

MME LECLERC: Il vous reste finalement la société de personnes.[19]

J.P. DUPRÉ: Si je me rappelle bien votre cours, ce type de société comporte[20] un inconvénient[21] majeur.

MME LECLERC: En effet. Tous les associés sont tenus indéfiniment, personnellement et solidairement[22] responsables des dettes contractées par la société.

J.P. DUPRÉ: C'est une perspective peu réjouissante, même pour quelqu'un qui a l'esprit d'entreprise.

MME LECLERC: Je pense que vous n'avez pas peur de prendre des risques.

J.P. DUPRÉ: Non, pas du tout! Mais je dois reconnaître que l'Ecole ne m'a pas tout appris. . .

MME LECLERC: Vous êtes encore très jeune, n'est-ce-pas?

[11] **propriété** (*f*) ownership
[12] **contrainte** (*f*) constraint, restriction
[13] **imposition** (*f*) taxation, assessment
[14] **constituer** to found, set up
[15] **société** (*f*) company, business firm
[16] **société anonyme** corporation
[17] **société à responsabilité limitée** corporation with a limited number of stockholders
[18] **aide** (*f*) grant, subsidy
[19] **société de personnes** partnership
[20] **comporter** to entail, include
[21] **inconvénient** (*m*) drawback
[22] **solidairement** jointly

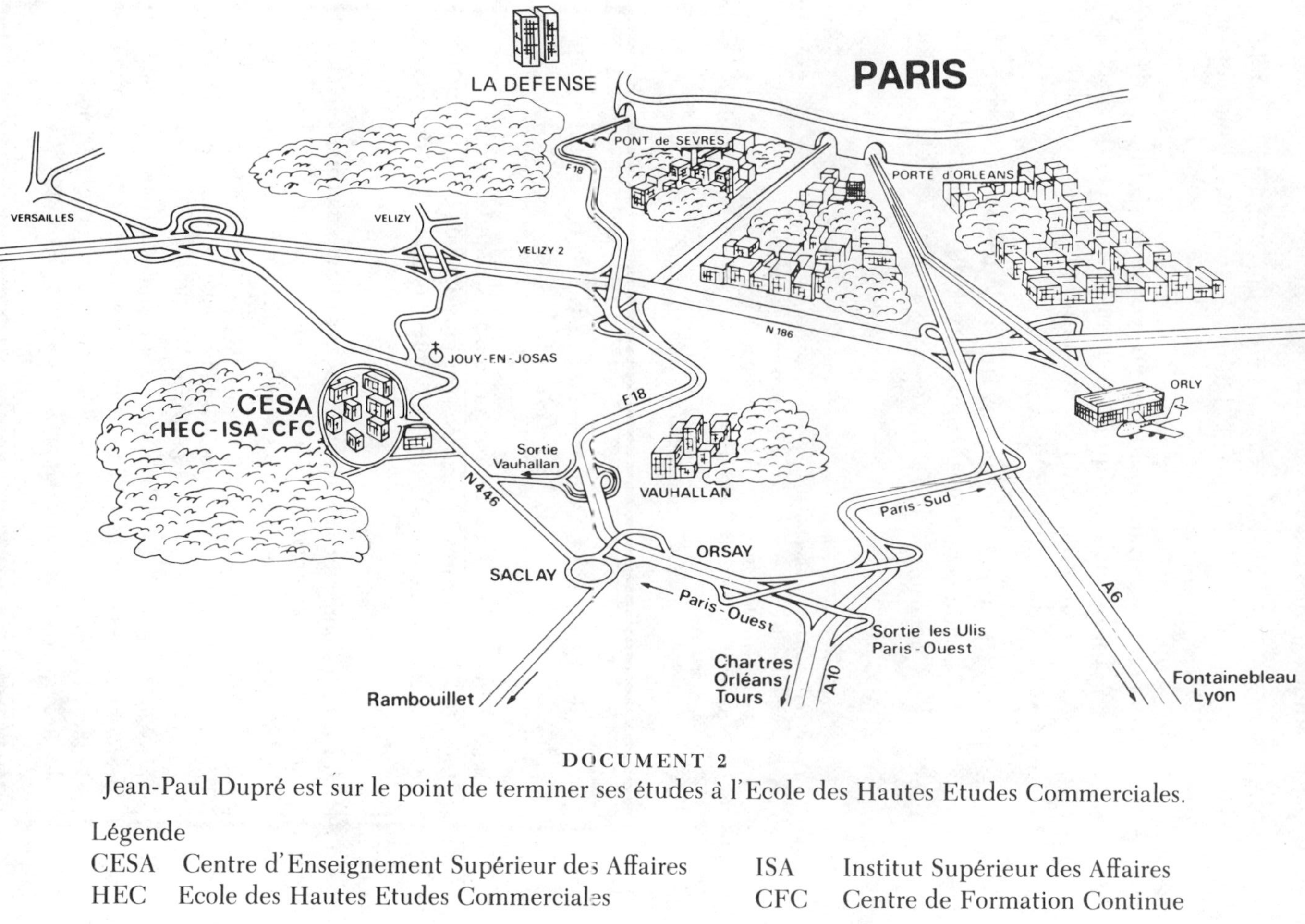

DOCUMENT 2

Jean-Paul Dupré est sur le point de terminer ses études à l'Ecole des Hautes Etudes Commerciales.

Légende

CESA	Centre d'Enseignement Supérieur des Affaires	ISA	Institut Supérieur des Affaires
HEC	Ecole des Hautes Etudes Commerciales	CFC	Centre de Formation Continue

J.P. DUPRÉ: J'aurai 23 ans dans un mois.

MME LECLERC: Ne croyez-vous pas que quelques années au contact de la réalité, dans différentes fonctions, vous seront utiles?

J.P. DUPRÉ: J'ai certainement besoin d'expérience, et je sais par les Anciens[23] qu'il ne manque pas d'entreprises où l'on confie tout de suite d'importantes responsabilités à de jeunes cadres.[24]

MME LECLERC: Commencez par mettre à jour[25] votre curriculum vitae. Prenez contact avec le bureau de l'Association,[26] lisez les petites annonces[27] et. . . bonne chasse![28]

[23] **Anciens** (*m pl*) alumni
[24] **cadre** (*m*) managerial staff, executive level
[25] **mettre à jour** to update
[26] **Association** (*f*) HEC alumni association
[27] **(petite) annonce** (*f*) classified ad
[28] **bonne chasse** (*f*) happy hunting

L'ENSEIGNEMENT SUPERIEUR EN FRANCE

Il est dispensé dans les *Universités* et dans les *Grandes Ecoles*
Il existe 72 universités fréquentées par plus de 900 000 étudiants et étudiantes. On entre à l'université après l'obtention du *Baccalauréat.*

Il y a 150 Grandes Ecoles scientifiques, techniques ou commerciales qui comptent au total 35 000 étudiants et étudiantes. Environ 12 500 ingénieurs et diplômés reçoivent chaque année les titres qu'elles délivrent, au bout de trois années d'études dans la plupart des cas. L'entrée dans une Grande Ecole se fait par voie de concours (épreuves écrites et orales très sélectives). Le nombre de places est limité. La préparation aux Grandes Ecoles a lieu dans certains lycées spécialisés. Elle peut durer de un à trois ans après le baccalauréat. Parmi les 100 plus grandes entreprises françaises, les trois quarts sont dirigées par des diplômés de Grandes Ecoles.

DOCUMENT 3

L'ENSEIGNEMENT DE LA GESTION[1]

Age (approx.)	Diplômes américains	Universités		Grandes Ecoles	
26	PhD	3ème cycle	préparation au *doctorat de gestion*		
25					
24	MBA				ISA INSEAD
23			▶ IAE	HEC ESSEC ESCP ESCAE	
22	*bachelor's degree*	2ème cycle	*maîtrise*		
21			*licence*		
20		1er cycle	DEUG		
19				classe préparatoire	
18	*high school diploma*	*baccalauréat*			

DOCUMENT 4

Légende

HEC Ecole des Hautes Etudes Commerciales, Jouy-en-Josas
ESSEC Ecole Supérieure des Sciences Economiques et Commerciales, Cergy-Pontoise
ESCP Ecole Supérieure de Commerce de Paris.
ESCAE Ecoles Supérieures de Commerce et d'Administration des Entreprises, dans la plupart des grandes villes de province
IAE Instituts d'Administration des Entreprises, dans certaines universités
ISA Institut Supérieur des Affaires, Jouy-en-Josas
INSEAD Institut Européen d'Administration des Affaires, Fontainebleau

DEUG Diplôme d'Etudes Universitaires Générales
▶ Programmes accessibles à des candidats disposant déjà d'une expérience professionnelle

[1] **gestion** (*f*) management

L'ECOLE DES HAUTES ETUDES COMMERCIALES (HEC) CRÉÉE EN 1881

est l'une des quatre institutions qui constituent le *Centre d'Enseignement Supérieur des Affaires* (CESA) installé sur un vaste campus à Jouy-en-Josas, près de Versailles. Les trois autres institutions sont:

- l'Institut Supérieur des Affaires (ISA)
- le Centre de Formation Continue (CFC), pour le perfectionnement des cadres
- l'Internat de Gestion, pour la formation des professeurs de gestion.

Le CESA, qui est le plus important complexe d'enseignement des affaires en Europe, est sous l'autorité de la Chambre de Commerce et d'Industrie de Paris.

Comment entre-t-on à HEC?

Par concours, comme dans toutes les Grandes Ecoles. Le concours d'admission comprend une partie écrite suivie d'un oral dans les matières suivantes:

- culture et sciences humaines
- mathématiques
- histoire et géographie économiques
- deux langues vivantes.

Il y a 300 diplômés par an dont 35% environ de femmes.

DOCUMENT 5

DOCUMENT 6—VOCABULAIRE

1 **série C** specialization in science
2 **stage exécutant** internship in an unskilled function
3 **manutentionnaire** (*m*) porter, handler
4 **à l'étranger** abroad
5 **stagiaire** (*m*) intern
6 **option** (*f*) option, specialized course
7 **agro-alimentaire** agribusiness
8 **adjoint** (*m*) assistant

C U R R I C U L U M   V I T A E

NOM : D U P R E

PRENOM : Jean-Paul

DATE DE NAISSANCE : 18 juin 1958

LIEU DE NAISSANCE : Toulouse, Haute-Garonne

DOMICILE : 174, rue Voltaire - 51100 REIMS

NATIONALITE : Français

SITUATION MILITAIRE : Exempté de service militaire (myopie)

SITUATION DE FAMILLE : Célibataire

ETUDES ET DIPLOMES :

- Etudes Secondaires : Lycée de Reims
  Baccalauréat (série C)[1]
- Etudes Supérieures : Lycée Louis-le-Grand (classe préparatoire à HEC)
  Reçu 31ème sur 260 au concours d'entrée à HEC
  Diplôme de l'Ecole des Hautes Etudes Commerciales

EXPERIENCE PROFESSIONNELLE :

- Fin de 1ère Année HEC (été)
  stage exécutant[2]: manutentionnaire[3] à la Société Méridionale de Transport, Marseille, Bouches-du-Rhône
- Fin de 2ème Année HEC (été)
  stage à l'étranger[4]: stagiaire[5] au service des exportations, Banque Nationale de Paris, New York
- Stage de 3ème Année HEC (2ème trimestre)
  option[6] agro-alimentaire[7]: adjoint[8] du responsable de la gestion des points de vente, Coopérative de la Côte-d'Or, Gevrey-Chambertin

LANGUES ETRANGERES :

parle et écrit couramment l'anglais
assez bonne connaissance de l'allemand

SPORTS ET LOISIRS :

- tennis, voile, course à pied
- théâtre et musique classique

PRETENTIONS : entre 5 500 et 6 500 francs par mois

REFERENCES :

Madame Nicole Leclerc
Professeur au CESA
78350 Jouy-en-Josas

Monsieur Philippe Delorme
Directeur
Coopérative de la Côte-d'or
21220 Gevrey-Chambertin

DOCUMENT 6

Compréhension

Répondez en faisant une phrase complète.

1. Où Jean-Paul, en est-il dans ses études?
2. Pourquoi est-il venu voir Mme Leclerc?
3. Quelle matière enseigne Mme Leclerc?
4. Qu'est-ce que Jean-Paul aimerait créer?
5. Que ferait un de ses oncles commerçant?
6. Quel est le principal avantage de la propriété individuelle de l'entreprise?
7. Pourquoi est-ce que Jean-Paul cherche à constituer une société?
8. Quel inconvénient majeur comporte la société de personnes?
9. Qu'est-ce que Jean-Paul sait par les Anciens?
10. Que suggère Mme Leclerc à Jean-Paul?
11. Combien y a-t-il d'étudiants et d'étudiantes dans les universités françaises?
12. Quelles différences y a-t-il entre les universités et les Grandes Ecoles?
13. Où se fait la préparation aux Grandes Ecoles?

Conversation

1. Quel diplôme préparez-vous?
2. Pourquoi avez-vous choisi cette discipline?
3. Quel avenir peut-on envisager avec ce diplôme?
4. Est-ce que vous avez envie de créer votre propre entreprise? Pourquoi? Quelle espèce d'entreprise?
5. Qu'est-ce qu'il faut pour créer une entreprise personnelle?
6. Quels sont les avantages d'une entreprise personnelle? les inconvénients?
7. Quels avantages et quels inconvénients y a-t-il à se faire engager par une compagnie déjà bien établie?
8. Que pensez-vous faire après avoir obtenu votre diplôme?
9. Souhaitez-vous travailler à l'étranger? Donnez les raisons de votre choix.

Vocabulaire

- **éclair** (*m*) (bolt of) lightning
- **éclairage** (*m*) lighting
- **éclairer** to clear up

- **éclairé** informed, knowledgeable
- **éclaircir** to make clear
- **s'éclaircir** to clear (up)
- **éclaircissement** (*m*) explanation

EXEMPLES

1. Certaines modes naissent et passent comme un éclair.
2. Le chauffage et l'éclairage représentent maintenant un poste important dans le budget d'une entreprise.
3. Permettez-moi d'éclaircir les aspects difficiles de la constitution d'une société.
4. J'ai besoin d'un avis éclairé.
5. Pendant l'après-midi le ciel s'est éclairci.
6. M. Lenoir a besoin d'éclaircissements pour comprendre les inconvénients de la société de personnes.

- **commerce** (*m*) business, commerce
- **commercial** commercial
- **commerçant** (*m*) merchant, someone in the retail trade
- **commerçant** in the retail trade, dealing with business or trade

EXEMPLES

1. La faillite d'un commerce est un événement grave pour la santé économique d'une petite ville.
2. Le droit commercial est une spécialité très demandée.
3. Il y a encore en France une majorité de petits commerçants dans la boulangerie, la pâtisserie et la boucherie.
4. Les nations commerçantes craignent toutes une crise économique.

ET MAINTENANT, TESTEZ-VOUS

Utilisez chacun des mots suivants dans une phrase complète. Cette phrase doit montrer que vous avez bien compris le sens du mot employé.

- l'éclair
- éclairé
- l'éclaircissement
- le commerce
- le commerçant
- commercial

LECTURE

La Propriété individuelle

Le droit français offre aux entreprises plusieurs types de structure juridique.[1] L'organisation des pouvoirs à l'intérieur de l'entreprise, le mode de financement de son activité, le régime fiscal applicable, la responsabilité à l'égard de l'environnement dépendent en grande partie du choix fait au moment de sa création.

Dans une entreprise individuelle, le propriétaire règne sans partage.[2] Toutefois, sa responsabilité est totale. En outre,[3] le système fiscal actuel soumet l'entreprise individuelle à de fortes impositions en cours d'exploitation[4] et à la mort du propriétaire. Il y a, en effet, confusion du point de vue juridique entre le patrimoine[5] commercial du chef d'entreprise et son patrimoine personnel. La totalité des bénéfices[6] réalisés se trouve donc soumise à l'impôt sur le revenu.[7]

La propriété individuelle[8] est sans doute mieux adaptée à des professions comme l'artisanat[9] ou le petit commerce. Elle pose beaucoup de problèmes quand la taille de l'entreprise dépasse un certain niveau.

[1] **juridique** judicial, legal
[2] **sans partage** (*m*) entirely
[3] **en outre** besides
[4] **en cours d'exploitation** (*f*) during operation
[5] **patrimoine** (*m*) property
[6] **bénéfice** (*m*) profit
[7] **impôt** (*m*) **sur le revenu** income tax
[8] **propriété** (*f*) **individuelle** private, personal property
[9] **artisanat** (*m*) skilled trades

QUESTIONS

Répondez en faisant une phrase complète.

1. Qu'est-ce qui gouverne le type de structure juridique d'une entreprise française?
2. Quels sont les avantages et les inconvénients d'une entreprise individuelle?
3. Quel est le problème du patrimoine du chef d'une entreprise individuelle?

TRADUCTION

Traduisez les phrases suivantes en vous inspirant du vocabulaire et des expressions utilisés dans ce chapitre.

1. Jean-Paul has a large amount of capital at his disposal.
2. Why is private ownership of a business subject to heavy taxation?
3. I need a subsidy to start a business.
4. What is the major drawback to that type of corporation?
5. Biscuiteries Réunies is looking for young managerial staff.
6. When a corporation is created, French law offers it several types of legal structure.
7. What is the difference between the personal and business property of the head of a private business?

THÈME DE DISCUSSION ET DE DÉBAT

- Comparez l'enseignement de la gestion en France et aux Etats-Unis: les différences et les points communs.

Exercice de correspondance commerciale

Rédigez votre curriculum vitae en fournissant les renseignements suivants:

- Nom
- Prénom(s)
- Date de naissance
- Lieu de naissance
- Domicile actuel
- Nationalité
- Situation militaire
- Situation de famille
- Etudes et diplômes
- Expérience professionnelle antérieure
- Niveau de connaissance d'une ou de plusieurs langues étrangères
- Activités de loisir
- Prétentions (montant du salaire souhaité)
- Noms de personnes citées en référence

CHAPITRE 2

DIALOGUE

L'Entretien[1]

Monsieur Blanc, directeur du personnel des Biscuiteries Réunies[2] S.A., importante société française de produits alimentaires, cherche un chef de produit[3] pour la division "Chocolat". Après avoir mis des annonces dans les grands quotidiens,[4] il s'est adressé au service de placement de plusieurs Ecoles Supérieures de Commerce. Puis il effectue un premier tri[5] des candidatures. Jean-Paul Dupré, jeune diplômé HEC de 23 ans en quête d'un premier emploi, fait partie des candidats retenus. Monsieur Blanc se prépare à le recevoir pour un entretien.

MLLE ANSELME: (secrétaire de M. Blanc): Monsieur Dupré vient d'arriver.

M. BLANC: Avez-vous préparé son dossier?

MLLE ANSELME: Oui Monsieur, il est dans cette chemise[6] verte. Voici votre courrier.

M. BLANC: Merci. Veuillez faire entrer Monsieur Dupré.

(Elle sort. Entre Jean-Paul Dupré, costume trois pièces, cravate discrète, attaché-case).

M. BLANC: Bonjour Monsieur. Asseyez-vous, je vous prie.

(Il lui indique un siège).

Votre curriculum vitae a attiré mon attention.

J.P. DUPRÉ: J'en suis flatté.

[1] **entretien** (*m*) interview
[2] **Biscuiteries** (*f pl*) **Réunies** United Biscuit Company
[3] **chef** (*m*) **de produit** product executive
[4] **quotidien** (*m*) daily (newspaper)
[5] **tri** (*m*) sorting out, selection
[6] **chemise** (*f*) file folder

M. BLANC: J'ai cru comprendre que vous vous intéressiez à l'industrie agro-alimentaire.[7]

J.P. DUPRÉ: En effet, j'ai suivi l'option[8] agro-alimentaire à HEC. De plus j'ai fait un stage[9] de trois mois dans une coopérative agricole en Bourgogne près de Dijon.

M. BLANC: Pouvez-vous m'indiquer brièvement en quoi consistait votre travail.

J.P. DUPRÉ: Je secondais[10] le responsable de la gestion[11] des points de vente.[12]

M. BLANC: Vous avez donc dû faire face à[13] des problèmes concrets.

J.P. DUPRÉ: Oui, j'ai été chargé, en particulier, de déterminer les causes de la baisse[14] du chiffre d'affaires[15] d'un des magasins et de proposer des remèdes.

M. BLANC: Très bien. Le poste que nous proposons nécessite de fréquents déplacements[16] en province. Vous étiez au courant?[17]

J.P. DUPRÉ: Votre offre était tout à fait explicite sur ce point. J'y ai répondu en parfaite connaissance de cause.[18]

M. BLANC: Naturellement, la société rembourse[19] tous les frais.[20]

J.P. DUPRÉ: Quels sont les termes de l'engagement?[21]

M. BLANC: Si nous vous engageons, nous établirons un contrat de travail, à durée indéterminée,Q avec une période d'essai[22] de six mois.

[7] **industrie** (*f*) **agro-alimentaire** food industry, agribusiness
[8] **option** (*f*) specialized course
[9] **stage** (*m*) internship
[10] **seconder** to help, assist
[11] **gestion** (*f*) management
[12] **point** (*m*) **de vente** location in store where producer sells products
[13] **faire face à** to face up to
[14] **baisse** (*f*) reduction, downward trend
[15] **chiffre** (*m*) **d'affaires** turnover
[16] **déplacement** (*m*) traveling, trip
[17] **au courant** informed
[18] **en connaissance** (*f*) **de cause** with full knowledge
[19] **rembourser** to reimburse
[20] **frais** (*m pl*) expenses, cost
[21] **engagement** (*m*) employment, hire
[22] **essai** (*m*) trial

J.P. DUPRÉ: Puis-je avoir une idée du salaire?

M. BLANC: Certainement. Il est prévu un fixe[23] annuel de 72.000 Francs, auquel s'ajouteront des primes[24] en fonction de vos résultats.

J.P. DUPRÉ: Quelle est votre politique[25] en matière d'avantages sociaux?[26]

M. BLANC: La société subventionne[27] un certain nombre d'activités pour le personnel et les familles, voyages, colonies de vacances[28] pour les enfants. Tous les employés ont droit au chèque-déjeuner,[29] sans compter six semaines de congés payés,[30] soit[31] deux semaines de plus que le minimum légal.

J.P. DUPRÉ: Ce qui est appréciable. . . Quelles sont les perspectives de promotion?

M. BLANC: Vous êtes engagé avec le statut de cadre. Si nous sommes satisfaits, nous pourrions envisager rapidement un poste de directeur régional des ventes, et pourquoi pas, mieux encore!

J.P. DUPRÉ: Monsieur le Directeur, je vous remercie de tous ces renseignements. Je reste à votre entière disposition.[32]

M. BLANC: Voici votre convocation[33] pour les tests psychologiques. Je dois maintenant recevoir le candidat suivant. Au revoir Monsieur Dupré.

[23] **fixe** (*m*) base salary
[24] **prime** (*f*) bonus
[25] **politique** (*f*) policy
[26] **avantage** (*m*) **social** employee benefit
[27] **subventionner** to subsidize
[28] **colonie** (*f*) **de vacances** camp subsidized by companies or government or municipal authorities for employees' children
[29] **chèque-déjeuner** (*m*) lunch voucher
[30] **congé** (*m*) **payé** paid vacation
[31] **soit** which is to say
[32] **rester à l'entière disposition** (*f*) to remain fully available
[33] **convocation** (*f*) letter for an appointment

Q Pour les mots ou expressions suivis du symbole Q on trouvera dans le même chapitre une explication détaillée, en anglais ou en français, sous le titre *Quelques Définitions* ou *Définition*.

Compréhension

Répondez en faisant une phrase complète.

1. Où est né Jean-Paul Dupré?
2. A-t-il fait ses études secondaires à Paris?
3. Quels sports pratique-t-il?
4. Qui est la secrétaire de M. Blanc?
5 Comment est habillé Jean-Paul le jour de l'entretien?
6. A quelle industrie s'intéresse-t-il?
7. Dans quelle entreprise a-t-il fait son stage de troisième année?
8. Combien de temps a duré son stage?
9. En quoi consistait son travail?
10. Quel type de contrat lui propose M. Blanc?

IMPORTANT GROUPE ALIMENTAIRE

recherche pour son siège à la Défense*

JEUNE

CHEF DE PRODUIT

homme ou femme

possédant
* la formation d'une Grande Ecole de Gestion HEC, ESSEC, ESCP ou équivalent
* une volonté marquée de réussir dans la fonction commerciale
* une bonne connaissance de l'anglais et si possible de l'allemand.

Le poste demande de nombreux déplacements en province. Une expérience professionnelle antérieure n'est pas indispensable. Possibilités d'avancement rapide.

Ecrire avec curriculum vitae détaillé à

BISCUITERIES REUNIES S.A.
Direction du Personnel
Tour Aquitaine
92080 Paris–La Défense

° La Défense: nom du quartier des affaires construit à l'ouest de Paris.

DOCUMENT 7

Jean-Paul DUPRE
174, rue Voltaire

51100 REIMS

Le 15 septembre 198.

Biscuiteries Réunies S.A.
Direction du Personnel
Tour Aquitaine

92080 PARIS-LA DEFENSE

Messieurs,

Suite à l'annonce parue dans la presse, j'ai l'honneur de poser ma candidature au poste de Chef de Produit.

Vous trouverez ci-joint un curriculum vitae détaillé ainsi que la copie de mes diplômes. Je me tiens à votre entière disposition pour tout renseignement complémentaire.

Veuillez agréer, Messieurs, l'assurance de mes sentiments respectueux.

J. P. Dupré

J.P. DUPRE

P.J. - 3

DOCUMENT 8

BISCUITERIES REUNIES

Société Anonyme au Capital de 50 000 000 Francs
Siège Social: Tour Aquitaine – 92080 PARIS-LA DEFENSE

DIRECTION DU PERSONNEL

Paris, le 1er octobre 198.

Notre Référence : HB/MA

Monsieur Jean-Paul DUPRE
174, rue Voltaire

51100 REIMS

Monsieur,

Nous accusons réception de votre lettre du 15 septembre et pièces jointes, et vous en remercions.

Nous avons pris bonne note de votre candidature au poste de Chef de Produit.

Vous voudrez bien vous présenter pour un entretien dans nos bureaux le lundi 12 octobre à 15 h. Si cette date ne vous convenait pas, nous vous demandons de téléphoner au Secrétariat de la Direction du Personnel pour fixer un nouveau rendez-vous.

Dans l'attente de vous voir, nous vous prions, Monsieur, de croire à l'expression de nos sentiments distingués.

Henri Blanc

Henri BLANC
Directeur du Personnel

DOCUMENT 9

LE COÛT DE LA PROTECTION SOCIALE

Pour l'employé (Jean-Paul Dupré):		
Salaire mensuel brut	6000,00	
Retenues diverses (Sécurité Sociale, Assurance Chômage, Retraite)	957,19	(16% du salaire)
Salaire net imposable	5042,81	
Indemnité de transport*	23,00	
Total mensuel perçu	5065,81	
Pour l'employeur (Biscuiteries Réunies S.A.):		
Salaire versé à Jean-Paul Dupré	6000,00	
Charges sociales diverses (Sécurité Sociale, Assurance Chômage, Retraite, Congés Payés)	2975,44	(50% du salaire)
Coût total	8975,44	

* (*Transportation allowance*) Pour les personnes travaillant dans les grandes villes; il n'y a pas de retenue sur le salaire pour l'impôt sur le revenu.

DOCUMENT 10

CONVERSATION

1. Où est-ce que vous êtes né(e)?
2. Où avez-vous fait vos études secondaires? Dans un lycée ou une *high school*?
3. Faites-vous du sport? Quels sports aimez-vous pratiquer?
4. A quels sports préférez-vous assister en spectateur?
5. Est-ce qu'il y a une secrétaire dans votre département à l'université? Comment s'appelle-t-elle?
6. Qu'est-ce que vous portez en classe? Que porte le professeur?
7. A quelle industrie vous intéressez-vous plus particulièrement?
8. Est-ce que vous avez déjà fait un stage? Où aimeriez-vous faire un stage?
9. Est-ce que vous avez travaillé l'été dernier? Où? En quoi consistait votre travail?

DÉFINITION

contrat à durée indéterminée

In this type of contract, the employer can dismiss the employee after giving him or her advance notice (*préavis*), usually three months.

Severance pay (*indemnité de licenciement*) is computed on the total time of employment in the company, a month's salary per year of employment.

Vocabulaire

- **quotidien** daily
- **hebdomadaire** weekly
- **mensuel** monthly
- **annuel** annual
- **un quotidien** daily (newspaper)
- **un hebdomadaire** weekly (magazine)
- **un mensuel** monthly (magazine)
- **un annuaire** directory published annually

Attention à la formation des adverbes: quotidienne**ment**, hebdomadaire**ment**, mensuelle**ment**, annuelle**ment**.

EXEMPLES

1. Les grands quotidiens français sont *Le Figaro* et *Le Monde*.
2. *L'Express* est un hebdomadaire semblable à *Time*.
3. Les Français ont maintenant la possibilité de payer leur impôt sur le revenu mensuellement.
4. Je n'ai pas trouvé son nom dans l'annuaire du téléphone.

- **gérer** to direct, manage
- **gérant** (*m*), **gérante** (*f*) manager (in a legal sense), managing director
- **gestion** (*f*) management
- **gestionnaire** (*m*) manager (in general), administrator

EXEMPLES

1. Gérer une telle firme exige beaucoup d'expérience et d'esprit d'initiative.
2. Le gérant de ce magasin a beaucoup de problèmes.
3. Elle a été nommée gérante de la SARL.
4. La gestion d'une société devient plus complexe au fur et à mesure qu'elle diversifie ses activités.
5. Ses qualités de gestionnaire se sont révélées très vite; il est maintenant directeur général.

ET MAINTENANT, TESTEZ-VOUS

Utilisez chacun des mots suivants dans une phrase complète. Cette phrase doit montrer que vous avez bien compris le sens du mot employé.

- hebdomadaire
- le quotidien
- l'annuaire
- la gestion
- le gérant
- gérer

LECTURE

Les Sociétés

Dans la constitution[1] d'une société, deux ou plusieurs personnes conviennent[2] par contrat de mettre quelque chose en commun, en vue de partager le bénéfice qui pourra en résulter. Inversement, chacun supporte une partie des pertes que pourrait subir[3] la société. L'ensemble des apports[4] effectués par les associés[5] représente le capital social.[6] L'institution ainsi créée est dotée[7] d'une personnalité morale, ce qui signifie que la société constitue, sur le plan juridique, une entité disposant[8] de certains droits.

La société a un nom (dénomination sociale),[9] une activité spécifique (objet social),[10] un domicile (siège social),[11] une nationalité, un partrimoine distinct et indépendant de celui de ses associés, des mandataires[12] qui sont désignés pour la représenter physiquement (gérants, administrateurs[13]) et une durée de vie prévue dans les statuts.[14] La constitution d'une sociéte peut être le moyen de se procurer des capitaux, ce qui est indispensable quand l'affaire est en expansion et exige des investissements importants.

Toutes les formes de société n'offrent pas les mêmes possibilités ou la même souplesse.[15] Dans la société de personnes (société en nom collectif ou société en commandite[16] simple) les associés sont responsables indéfiniment, personnellement et solidairement des dettes sociales. Dans une société à responsabilité limitée (SARL) comme dans une société anonyme (SA) la responsabilité personnelle est réduite à la participation,[17] sous forme de parts[18] (SARL) ou d'actions[19] (SA).

La SARL limite le nombre maximum des associés à 50. Ce type de

[1] **constitution** (*f*) incorporation
[2] **convenir de** to agree to
[3] **subir** to undergo
[4] **apport** (*m*) contribution
[5] **associé** (*m*) partner
[6] **capital** (*m*) **social** capital stock
[7] **doter de** to endow with
[8] **disposer** to enjoy, have the right to
[9] **dénomination** (*f*) **sociale** legal name
[10] **objet** (*m*) **social** purpose for which the company was created
[11] **siège** (*m*) **social** company headquarters
[12] **mandataire** (*m* or *f*) authorized agent, proxy
[13] **gérant** (*m*) managing director
administrateur director (board member)
[14] **statuts** (*m pl*) charter and by-laws
[15] **souplesse** (*f*) flexibility
[16] **société** (*f*) **en commandite** limited partnership
[17] **participation** (*f*) interest in, share in
[18] **part** (*f*) stock, share
[19] **action** (*f*) stock, share

société convient généralement à une affaire de caractère familial ou à une entreprise de taille[20] relativement modeste. Seule une SA peut faire appel à l'épargne publique.[21] Le nombre des associés ne peut être inférieur à 7. Les actions composant le capital des sociétés anonymes sont négociables.[22] Elles peuvent être cotées[23] en Bourse.[24]

[20] **taille** (*f*) size
[21] **faire appel à l'épargne publique** to advertise the sale of its own stocks and bonds
[22] **négociable** negotiable
[23] **coter** to quote, list
[24] **Bourse** (*f*) Stock Exchange

	Nombre d'associés		Capital	
	minimum	maximum	minimum	
SARL	2	50	20 000 F	
SA	7	pas de limite	100 000 F	si la société ne fait pas appel à l'épargne publique
			500 000 F	si la société fait appel à l'épargne publique

DOCUMENT 11

Questions

Répondez en faisant une phrase complète.

1. Pour constituer une société, combien de personnes faut-il?
2. Qu'est-ce que chaque associé doit supporter dans une société?
3. Qu'est-ce que le «capital social?»
4. Que signifie la «personnalité morale?»
5. Qu'est-ce qui est prévu dans les statuts?
6. Qu'est-ce qui est indispensable quand l'affaire est en expansion?
7. Quelles sont les principales différences entre la société de personnes, la société à responsabilité limitée et la société anonyme?
8. Combien d'associés y a-t-il dans une SARL?
9. Quel type de société peut faire appel à l'épargne publique?
10. Dans une SA, quel est le nombre minimum d'associés?

Traduction

Traduisez les phrases suivantes en vous inspirant du vocabulaire et des expressions utilisés dans ce chapitre.

1. The incorporation of a business requires two or more people.

La Défense. Ses gratte-ciel contrastent avec l'architecture traditionnelle de Paris. (Etablissement Public pour l'Aménagement de la Défense)

2. Jean-Paul had an internship in an agricultural cooperative in Burgundy.
3. How many partners are there in this company?
4. He indicated that he had answered the offer with full knowledge.
5. The company headquarters are in Paris.
6. How long is the trial period at Biscuiteries Réunies?
7. The base salary would be low, but there would be a lot of bonuses.
8. How much paid vacation do they offer?
9. They sold their shares in Biscuiteries Réunies too soon.
10. How many daily newspapers are there in this city?

Thème de discussion et de débat

- Les avantages et les inconvénients de l'Etat-Providence (*welfare state*).

Exercice de correspondance commerciale

1. En vous inspirant des deux modèles explicatifs reproduits ci-dessous rédigez:

(a) *votre réponse à une petite annonce parue dans un quotidien pour un poste d'adjoint au Directeur régional des ventes.*
expéditeur *votre nom et adresse complète*
destinataire *Direction du Personnel*
Biscuiteries Réunies S.A.

(b) *la lettre de la Direction du Personnel vous accusant réception et vous fixant un rendez-vous à une date que vous choisirez.*

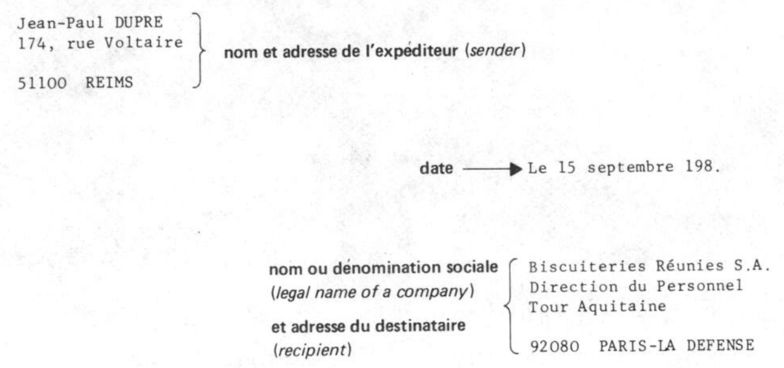

Jean-Paul DUPRE
174, rue Voltaire

51100 REIMS

nom et adresse de l'expéditeur (*sender*)

date → Le 15 septembre 198.

nom ou dénomination sociale (*legal name of a company*) **et adresse du destinataire** (*recipient*)

Biscuiteries Réunies S.A.
Direction du Personnel
Tour Aquitaine

92080 PARIS-LA DEFENSE

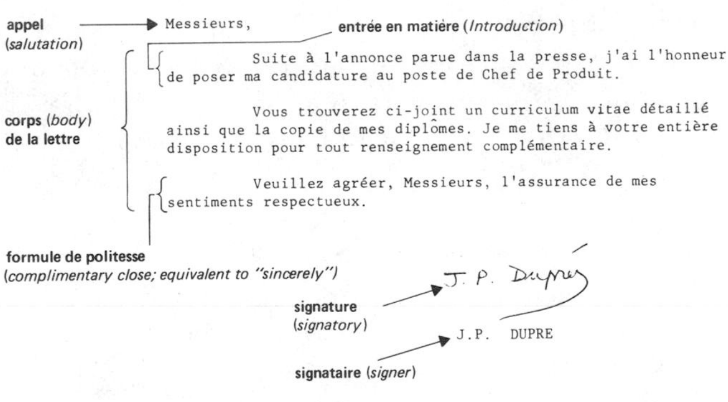

appel (*salutation*) → Messieurs,

entrée en matière (*Introduction*)

corps (*body*) **de la lettre**

Suite à l'annonce parue dans la presse, j'ai l'honneur de poser ma candidature au poste de Chef de Produit.

Vous trouverez ci-joint un curriculum vitae détaillé ainsi que la copie de mes diplômes. Je me tiens à votre entière disposition pour tout renseignement complémentaire.

Veuillez agréer, Messieurs, l'assurance de mes sentiments respectueux.

formule de politesse (*complimentary close; equivalent to "sincerely"*)

signature (*signatory*) → J. P. Dupré

signataire (*signer*) → J.P. DUPRE

P.J. - 3

N'oubliez pas de faire les modifications nécessaires dans l'appel ou dans le corps de ces lettres.

2. *Complétez la lettre d'engagement envoyée à Jean-Paul Dupré par Monsieur Blanc à l'aide des mots suivants, en les modifiant, comme il convient, pour les adapter au texte (accord en genre et en nombre, forme et temps des verbes).*

calculer	direction	indemnité
congé	distingué	indéterminé
contrat	engager	préavis
délai	entretien	remboursement
déplacement	essai	salaire

BISCUITERIES REUNIES

en-tête (*letterhead*)
Société Anonyme au Capital de 50 000 000 Francs
Siège Social: Tour Aquitaine – 92080 PARIS-LA DEFENSE

DIRECTION DU PERSONNEL

Paris, le 1er octobre 198.

Notre Référence : HB/MA ← référence

Monsieur Jean-Paul DUPRE
174, rue Voltaire

51100 REIMS

entrée en matière (*Introduction*)

Monsieur,

Nous accusons réception de votre lettre du 15 septembre et pièces jointes, et vous en remercions.

Nous avons pris bonne note de votre candidature au poste de Chef de Produit.

Vous voudrez bien vous présenter pour un entretien dans nos bureaux le lundi 12 octobre à 15 h. Si cette date ne vous convenait pas, nous vous demandons de téléphoner au Secrétariat de la Direction du Personnel pour fixer un nouveau rendez-vous.

Dans l'attente de vous voir, nous vous prions, Monsieur, de croire à l'expression de nos sentiments distingués.

conclusion et formule de politesse

Henri Blanc

Henri BLANC
Directeur du Personnel

fonction (*function, position*) →

Notez le caractère formel de cette correspondance.

Paris, le 16 octobre 198–

Monsieur Jean-Paul Dupré
174, rue Voltaire
51100 Reims

MONSIEUR,

Nous vous confirmons, à la suite de notre _____ du 12 octobre, que nous sommes disposés à vous _____ pour une période _____ à partir du ler novembre 198., en qualité de chef de produit à la _____ du marketing.

Vous débuterez avec un _____ brut mensuel de 6 000 Francs, l'auquel s'ajouteront des primes _____ en fonction des résultats et le _____ de tous les frais occasionnés par vos _____.

Cette lettre d'engagement tiendra lieu de _____. Votre engagement ne deviendra définitif qu'après l'expiration de la période d'_____, dont la durée est de six mois. Pendant cette période, il pourra être résilié[1] réciproquement par un simple _____ d'un mois, sans qu'il soit dû de part et d'autre une _____ quelconque.

Vous voudrez bien nous informer sans _____ de tout changement qui surviendrait dans votre situation postérieurement à votre engagement (adresse, situation de famille etc.).

Vous déclarez n'être lié actuellement à aucune entreprise et ne pas être en période de _____ payé.

Veuillez nous faire parvenir votre accord sur les termes de la présente lettre en nous retournant le double ci-joint, avec votre signature précédée des mots manuscrits: «Lu et approuvé».

Nous vous prions d'agréer, Monsieur, nos sentiments _____.

HENRI BLANC
Directeur du Personnel

[1] **résilier** to cancel, terminate

CHAPITRE 3

DIALOGUE

Les Biscuiteries Réunies S.A.

Jean-Paul Dupré a été engagé comme chef de produit par la société Biscuiteries Réunies S.A. Nous le retrouvons dans le bureau de Madame Hardy, Directeur du Marketing. Madame Hardy, une autodidacte[1] de 45 ans, qui a gravi[2] tous les échelons[3] de l'entreprise, explique à Jean-Paul la structure de la société.

MME HARDY: Je suis heureuse de vous accueillir au sein de[4] notre société. Vous avez sans doute beaucoup de questions à me poser.

J.P. DUPRÉ: Oui Madame, je me sens encore un peu perdu. On m'a beaucoup parlé de Monsieur Evrard.

MME HARDY: C'est notre Président. Vous aurez rarement affaire à[5] lui.

J.P. DUPRÉ: Qui est Directeur Général?[6]

MME HARDY: Monsieur François. Vous aurez plus souvent l'occasion de le rencontrer.

J.P. DUPRÉ: Comment se répartissent[7] les différentes responsabilités?

MME HARDY: Pour les activités fonctionnelles[8] vous avez quatre directions:[9] la direction financière, la direction administrative dont dépendent aussi la comptabilité[10] et

[1] **autodidacte** (*m* or *f*) self-made man or woman
[2] **gravir** to ascend, climb
[3] **échelon** (*m*) rung, level
[4] **au sein de** within, inside
[5] **avoir affaire à** to deal with
[6] **Directeur Général** (*m*) president, general manager
[7] **se répartir** to be divided
[8] **fonctionnel** pertaining to staff
[9] **direction** (*f*) division
[10] **comptabilité** (*f*) accounting

l'informatique;[11] la direction du personnel et la direction de la recherche et du développement.

J.P. DUPRÉ: Et sur le plan opérationnel?[12]

MME HARDY: Trois directions: la direction de la fabrication; celle des ventes, et celle du marketing.

(Une pause. Madame Hardy offre à Jean-Paul une cigarette.)

J.P. DUPRÉ: Non merci, je ne fume pas.

MME HARDY: Ainsi que vous pouvez le constater,[13] notre structure est assez lourde et manque parfois d'efficacité.

J.P. DUPRÉ: Il m'est difficile de porter un jugement si tôt.

MME HARDY: Vous vous en rendrez vite compte. Parlons maintenant de vos fonctions. La direction du marketing est divisée en trois départements: celui de la promotion des ventes et de la publicité; celui des études;[14] et enfin le département «produits» auquel vous appartenez désormais.

J.P. DUPRÉ: Quel produit me confiez-vous?[15]

MME HARDY: Les produits chocolatés. Les ventes connaissent actuellement une baisse sérieuse. Nous voudrions, à court terme,[16] stabiliser notre part du marché.

J.P. DUPRÉ: Je devrai donc, en premier, m'informer des études de marché, de l'analyse des ventes et des coûts qui ont été déjà effectuées par le département «études».

MME HARDY: C'est cela! Il vous faudra aussi négocier un nouveau budget publicité et promotion des ventes.

J.P. DUPRÉ: Et en cas de conflit?

MME HARDY: Compte tenu[17] de l'absence de relations hiérarchiques entre nos trois départements, vous aurez recours à[18] mon arbitrage.[19]

[11] **informatique** (*f*) data processing, computer science
[12] **opérationnel** pertaining to line, or chain of command
[13] **constater** to note
[14] **étude** (*f*) research, survey
[15] **confier à** to entrust, assign to
[16] **à court terme** (*m*) in the short term
[17] **compte tenu** taking into account
[18] **avoir recours à** to resort to, turn to
[19] **arbitrage** (*m*) arbitration

ORGANIGRAMME DE LA SOCIETE BISCUITERIES REUNIES

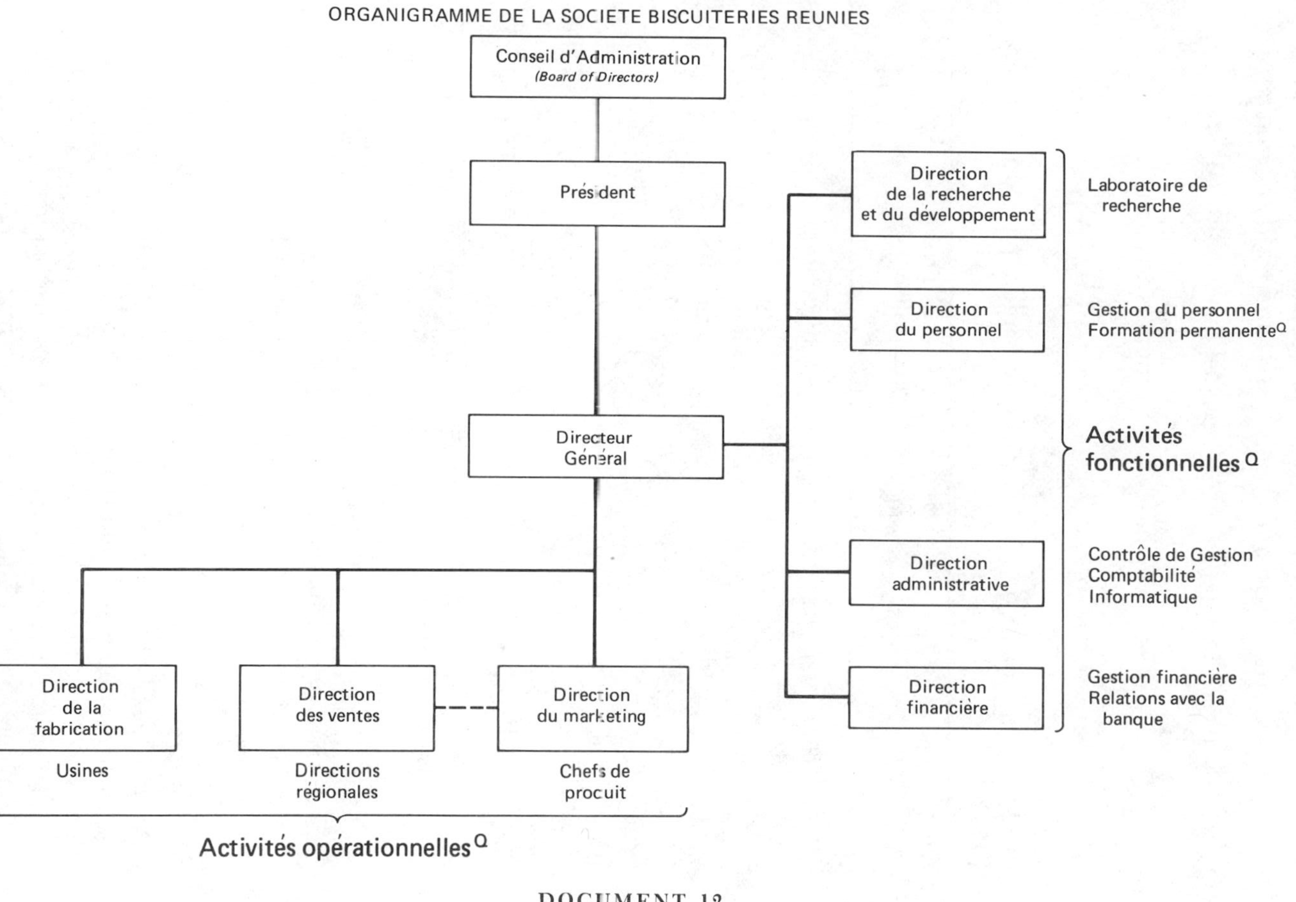

DOCUMENT 12

J.P. DUPRÉ: J'espère que ceci se produira le moins souvent possible!

(Le téléphone sonne. Madame Hardy décroche).

MME HARDY: Allo Jacques, c'est vous? Je vous attends dans mon bureau pour vous présenter notre nouvelle recrue[20] dont vous guiderez les premiers pas dans la maison.

[20] **recrue** *(f)* recruit

Produit National Brut (PNB)* des 10 premiers pays du monde en 1978

Pays (par ordre de PNB en 1978)	PNB (en milliards de francs) 1975	1976	1977	1978
Etats-Unis	6 564	8 119	9 230	9 947
Japon	2 113	2 648	3 390	4 345
URSS	2 790	3 422	3 834	4 300
Allemagne Fédérale	1 800	2 127	2 530	2 860
France	1 443	1 654	1 870	2 105
Chine	1 355	1 636	1 700	1 835
Grande-Bretagne	982	1 045	1 200	1 385
Italie	752	814	960	1 065
Canada	705	928	966	935
Brésil	464	599	774	850

* **Produit** *(m)* **National Brut (PNB)** Gross National Product (GNP)

DOCUMENT 13

QUELQUES DÉFINITIONS

formation permanente

Formation permanente is 1971 legislation whose purpose is to enable employees to continue their education at the company's expense (*taxe professionnelle de formation permanente*). Organizations employing more than 10 persons are legally bound to provide their employees, at all levels, with training programs that need not have any connection with the employee's occupation in the company. Foreign languages and management are the most popular.

A company's annual budget for *formation permanente* is based on salaries paid: 1.1% of total amount. A company with an annual payroll of 100 million Francs has 1.1 million to spend on *formation permanente.*

fonctionnel
A staff function involves no direct supervisory responsibility and is not directly concerned with production. Accounting, personnel, and research are examples of staff activities in a typical company.

opérationnel
A line function, as distinguished from a staff function, involves operational responsibility and the chain of direct command.

chiffres non consolidés
Nonconsolidated figures do not include those for the combined operations of affiliated companies wholly or partially owned.

Les 10 premières sociétés françaises de services en 1978

	Sociétés	Activités principales	Chiffre d'affaires	Effectifs
1	**Société Nationale des Chemins de Fer Français (SNCF)**	transport	27 016	261 540
2	**Air France***	transport	11 186	32 389
3	Générale des Eaux	distribution d'eau	8 331	30 000
4	Lyonnaise des Eaux	distribution d'eau	8 299	ND†
5	Chargeurs Réunis	transport	5 869	16 000
6	**Régie Autonome des Transports Parisiens* (RATP)**	transport	4 823	35 853
7	**Havas**	publicité	4 140	8 000
8	**Compagnie Générale Maritime**	transport	2 800	5 879
9	Publicis	publicité	2 371	1 561
10	**Air Inter**	transport	1 963	4 891

* chiffres non consolidés

†ND: non disponible (not available)

en caractères gras: entreprises nationalisées ou dont l'Etat est le principal actionnaire

DOCUMENT 14

Les 15 premières entreprises industrielles françaises en 1978

	Entreprises	Activité principale	Chiffre d'affaires[1] (C.A.) (en millions de francs)	Effectifs	Pourcentage du C.A. à l'exportation
1	**Renault**	automobile	57 240	239 447	45%
2	**Compagnie Française des Pétroles**	chimie	56 313	44 000	55%
3	PSA Peugeot-Citroën	automobile	47 810	190 170	49%
4	**Elf-Aquitaine**	pétrole, chimie	41 034	37 000	24%
5	Compagnie Générale d'Electricité (CGE)	construction électrique	35 985	169 900	32%
6	Saint-Gobain/Pont-à-Mousson (SGPM)	verre, isolation,[3] mécanique	34 203	157 766	61%
7	Péchiney-Ugine-Kuhlmann	métaux, chimie	27 596	96 300	52%
8	Rhône-Poulenc	chimie	25 458	107 219	59%
9	Thomson-Brandt	construction électrique	22 848	114 600	36%
10	Schneider	mécanique	20 797	109 000	50%
11	Michelin	pneumatiques	20 731	115 000	ND†
12	**Charbonnages de France**	charbon, chimie	14 526	89 920	13%
13	BSN-Gervais Danone	alimentation	14 388	57 366	42%
14	Usinor°	sidérurgie	14 110	44 468	36%
15	Sacilor	sidérurgie	11 010	34 847	ND†

° chiffres non consolidésQ

† ND: non disponible

en caractères gras: entreprises nationalisées ou dont l'Etat est le principal actionnaire (stockholder)

[1] **Chiffre** (*m*) **d'affaires** total sales, turnover

[2] **Effectif** (*m*) total number of employees

[3] **isolation** (*f*) insulation

DOCUMENT 15

Compréhension

Répondez en faisant une phrase complète.

1. Quelles fonctions Mme Hardy occupe-t-elle dans l'entreprise?
2. Donnez des détails sur sa formation.
3. Décrivez l'état d'esprit de Jean-Paul au début de l'entretien.
4. Qui est Président des Biscuiteries Réunies?
5. Comment s'appelle le Directeur Général?
6. Enumérez les différentes directions de la société.
7. Jean-Paul fume-t-il?
8. De combien de départements se compose la direction du marketing?
9. Quels sont-ils?
10. De quel produit Jean-Paul sera-t-il responsable?
11. Quelle est la situation actuelle des produits chocolatés?

Conversation

1. Dans une société telle que les Biscuiteries Réunies, quelle est la différence entre une activité fonctionnelle et une activité opérationnelle?
2. Quelle est l'activité fonctionnelle qui vous intéresse le plus?
3. Avez-vous suivi des cours de comptabilité ou d'informatique?
4. Qu'est-ce qu'un organigramme?
5. Dans la hiérarchie d'une entreprise, quelle est la personne qui occupe la place la plus importante?
6. Si vous étiez chef de produit, de quel produit ou de quelle gamme de produits aimeriez-vous avoir la responsabilité? Pour quelles raisons?
7. Pourquoi est-ce que l'étude de marché et l'analyse des ventes et des coûts sont importantes pour un chef de produit?
8. Quel est le premier pays exportateur du monde?
9. Comparez le Produit National Brut de la France à celui du Japon et de l'URSS.
10. Quelle est la première entreprise industrielle en France?
11. Quelle est l'entreprise privée la plus importante?

Vocabulaire

- **compte** (*m*) account
- **compte rendu** (*m*) report, account
- **en fin de compte** in the final analysis, ultimately
- **compter** to count
- **comptable** (*m*) accountant
- **comptabilité** (*f*) accounting
- **rendre compte de** to account for
- **se rendre compte (de)** to realize, be aware of

EXEMPLES

1. On peut ouvrir un compte en banque ou un compte de chèques postaux.
2. Nous préparons un compte rendu détaillé de cette réunion.
3. En fin de compte, il n'y a pas le choix: il faut le faire.
4. Pour être comptable, il faut aimer les chiffres.
5. La comptabilité exige la précision—ce n'est pas un domaine où l'on tolère l'inexactitude.
6. A la fin de l'année fiscale, il faut rendre compte de tous les frais encourus au cours de l'année.
7. Je ne me suis pas rendu compte qu'il était si tard! Je me sauve—à demain.

- **chercher** to look for; to try; to seek
- **chercheur** (*m*) researcher
- **recherche** (*f*) research; effort to find
- **recherché** sought-after; affected

EXEMPLES

1. Il cherche à s'informer sur les possibilités de créer sa propre entreprise.
2. Les chercheurs du département de marketing ont trouvé un excellent nom pour le nouveau produit.
3. Les recherches qu'il a faites l'ont décidé à entrer dans une grosse entreprise.
4. L'objectif recherché n'a pas été atteint malgré nos efforts.

ET MAINTENANT, TESTEZ-VOUS

Utilisez chacun des mots suivants dans une phrase complète. Cette phrase doit montrer que vous avez bien compris le sens du mot employé.

- le compte
- la comptabilité
- se rendre compte (de)
- chercher
- le chercheur
- la recherche

L E C T U R E

L'Organisation des entreprises

Les sondages[1] d'opinion montrent que, si les Français n'aiment pas les patrons en général, ils sont loin de détester le leur qu'ils côtoyent[2] tous les jours au bureau, à l'usine ou à l'atelier.[3] En réalité, le pouvoir dans une entreprise ressemble à un iceberg. Il comporte une partie visible, facile à décrire. C'est la hiérarchie formelle d'autorité. Elle va du conseil d'administration[4] et du PDG,[5] assisté ou non d'un conseil de direction, jusqu'au contremaître[6] responsable d'une équipe d'ouvriers, sans oublier le comité d'entreprise,[7] souvent dominé par des syndicats[8] hostiles au système. Il existe aussi une partie cachée où on trouve des éléments essentiels tels que le génie ou le talent personnel des dirigeants ou des différents responsables, leur aptitude à la communication, leur sens des relations sociales.

Depuis 1936, mais surtout depuis la fin de la Seconde Guerre mondiale, l'Etat a pris le contrôle de secteurs importants de l'activité économique par le biais[9] des nationalisations: banques, compagnies d'assurance,[10] transports publics (SNCF,[11] RATP[12]) services publics (EDF-GDF),[13] construction aéronautique (SNIAS)[14] et automobile (Renault).

Il s'est également constitué dans tous les domaines de puissants groupes privés de dimension internationale. Leurs actionnaires[15]

[1] **sondage** (*m*) poll
[2] **côtoyer** (*m*) to be in contact with
[3] **atelier** (*m*) workshop
[4] **conseil** (*m*) **d'administration** board of directors
[5] **PDG (Président-Directeur Général)** (*m*) chairman and chief executive officer
[6] **contremaître** (*m*) supervisor, overseer
[7] **comité** (*m*) **d'entreprise** influential committee of elected officials representing employees at all levels
[8] **syndicat** (*m*) union
[9] **biais** (*m*) indirect means
[10] **compagnie** (*f*) **d'assurance** insurance company
[11] **SNCF (Société Nationale des Chemins de Fer Français)** the French national railroad company
[12] **RATP (Régie Autonome des Transports Parisiens)** the company that operates the bus and subway system in Paris and suburbs.
[13] **EDF-GDF (Electricité de France-Gaz de France)** the national power and gas companies
[14] **SNIAS (Société Nationale Industrielle Aérospatiale)** the largest French aerospace company, cobuilder of Concorde and Airbus
[15] **actionnaire** (*m*) stockholder

L'Airbus, construit par un consortium européen, est un bon exemple de coopération aéronautique internationale. Avec l'Airbus Air France dessert l'Europe, l'Afrique et l'Asie. (Air France)

sont nombreux et dispersés. Ils n'exercent qu'un contrôle restreint au moment des assemblées générales annuelles. Le secteur le plus vaste par le nombre reste, néanmoins, celui des petites et moyennes entreprises (PME), dans lesquelles les dirigeants sont la plupart du temps propriétaires ou majoritaires.[16]

On constate à tous les niveaux que le gestionnaire,[17] formé aux méthodes modernes, tend à remplacer l'héritier[18] des dynasties familiales. L'entreprise française s'est ouverte aux techniques destinées non seulement à accroître[19] la productivité et le rendement,[20] mais aussi à favoriser l'épanouissement[21] de l'individu au travail dans la société post-industrielle. On parle de plus en plus de gestion participative, de direction par objectifs, d'enrichissement des tâches.[22]

Des expériences[23] sont faites dans certaines entreprises pour supprimer ou réduire la monotonie du travail à la chaîne:[24] au lieu de répéter le même geste toute la journée, un ouvrier devient responsable de plusieurs tâches complémentaires. Mais la question fondamentale

16 **majoritaire** (*m*) majority stockholder
17 **gestionnaire** (*m*) administrator, manager
18 **héritier** (*m*) heir
20 **rendement** (*m*) return, yield
21 **épanouissement** (*m*) development, blossoming
22 **tâche** (*f*) job
23 **expérience** (*f*) experiment
24 **travail** (*m*) **à la chaîne** assembly-line work

qui reste posée est de savoir si la satisfaction dans le travail est vraiment compatible avec une productivité élevée.

Questions

Répondez en faisant une phrase complète.

1. Qu'est-ce que montrent les sondages d'opinion?
2. A quoi ressemble le pouvoir dans une entreprise et pourquoi?
3. Depuis quand est-ce que l'Etat a pris le contrôle de secteurs importants de l'économie?
4. Citez deux exemples d'entreprises nationalisées, en indiquant leur activité principale.
5. Qu'est-ce qu'une PME?
6. L'héritier des dynasties familiales continue-t-il de jouer un rôle important dans les entreprises françaises?
7. Est-ce que la productivité et le rendement sont les seuls objectifs des entreprises dans la société post-industrielle?
8. Comment peut-on supprimer ou réduire la monotonie du travail à la chaîne?

Traduction

Traduisez les phrases suivantes en vous inspirant du vocabulaire et des expressions utilisés dans ce chapitre.

1. Opinion polls show that, in general, most French workers don't like their boss.
2. Unions have a great deal of power in the American automobile industry.
3. Fortunately, your investments offer an excellent return.
4. We have a good group of researchers this year.
5. Are you interested in accounting, or do you prefer computer science?
6. The meeting was for administrators in all four departments.
7. Have you ever done assembly-line work?
8. The general manager of that company has made many changes.
9. The board of directors won't meet again before July.
10. We have to do some experiments with employees in the workshop.

Thème de discussion et de débat

∘ L'importance du secteur public dans l'économie française.

Exercice de correspondance commerciale

Traduisez la lettre de recommandation suivante (pour la formule de politesse évitez la traduction littérale).

ATTESTATION

Monsieur Jean Marin travaille dans notre société depuis six ans, à la Direction des ventes. Pour des raisons strictement personnelles, il est obligé de quitter la région parisienne pour s'installer avec sa famille à Strasbourg.

Nous regrettons beaucoup son départ. Il était d'ailleurs sur le point de bénéficier d'une importante promotion.

Je peux attester de ses aptitudes intellectuelles et de son goût du travail bien fait. Il possède un sens aigu de l'initiative et de la responsabilité. Il a d'autre part une personnalité agréable, ce qui facilite beaucoup le contact avec la clientèle et ses rapports avec le personnel.

Je suis persuadé que Monsieur Marin continuera de faire preuve des mêmes qualités dans de nouvelles fonctions.

Je le recommande très vivement à votre bienveillante attention.

Paris, le 25 octobre 198.

Henri Blanc
Directeur du Personnel

CHAPITRE 4

DIALOGUE
Les premiers pas

Jean-Paul termine la visite du siège des Biscuiteries Réunies, SA en compagnie de Jacques Rivière, adjoint[1] *de Madame Hardy à la direction du marketing et chargé de mettre Jean-Paul au courant de ses attributions.*[2]

J.P. DUPRÉ: Les choses me paraissent maintenant un peu plus claires. Merci pour votre patience, Monsieur Rivière.

J. RIVIÈRE: Appelez-moi donc Jacques, je vous en prie.

J.P. DUPRÉ: Avec plaisir. Moi, c'est Jean-Paul.

J. RIVIÈRE: D'accord, Jean-Paul. Comme chef de produit vous serez bien placé pour mesurer le rôle essentiel du marketing dans une entreprise comme la nôtre qui se spécialise dans des produits de grande consommation.[3]

J.P. DUPRÉ: Si j'ai bien compris, ma responsabilité englobe le cheminement[4] du produit depuis la mise au point[5] jusqu'à l'utilisation par le consommateur.

J. RIVIÈRE: Très exactement. C'est la raison pour laquelle vous commencerez par passer une semaine à l'usine de fabrication de nos produits chocolatés afin de mieux connaître les caractéristiques de votre produit.

J.P. DUPRÉ: Où se trouve l'usine en question?

J. RIVIÈRE: En Bretagne, à moins de 400 kilomètres de Paris, à une trentaine de kilomètres de Rennes. Vous pourrez loger facilement sur place. Il y a quelques bons hôtels.

J.P. DUPRÉ: Quelle sera la deuxième étape[6] de ma formation?[7]

[1] **adjoint** (*m*) assistant
[2] **attribution** (*f*) duty, function
[3] **produit** (*m*) **de grande consommation** widely sold item
[4] **cheminement** (*m*) progress, path
[5] **mise** (*f*) **au point** development and perfecting
[6] **étape** (*f*) stage, step
[7] **formation** (*f*) training

J. RIVIÈRE: Vous irez dans les directions régionales des ventes, pour prendre contact avec les responsables[8] et vous familiariser avec les circuits de distribution, de la petite épicerie à l'hypermarché.[9]

J.P. DUPRÉ: J'aimerais en profiter pour faire quelques tournées avec un représentant.

J. RIVIÈRE: C'est une excellente idée. Plus vous réunirez d'informations, mieux ce sera.

J.P. DUPRÉ: On m'a appris que le marketing était synonyme d'action, de dynamisme et . . . d'attention à porter au marché.[10]

J. RIVIÈRE: Vous avez raison. Il faut bien connaître le marché pour le conquérir ou le conserver.

J.P. DUPRÉ: J'imagine que la concurrence[11] est sévère.

J. RIVIÈRE: Nos derniers sondages effectués[12] sur échantillons[13] représentatifs font apparaître une certaine désaffection[14] pour notre gamme[15] de chocolat. Comme vous l'a déjà expliqué Madame Hardy, il vous faudra rapidement proposer des remèdes.

J.P. DUPRÉ: Vous pouvez compter sur moi.

[8] **responsable** (*m*) person in charge
[9] **hypermarché** (*m*) large supermarket
[10] **porter attention à** to be very attentive to
[11] **concurrence** (*f*) competition
[12] **effectuer** to take, do
[13] **échantillon** (*m*) sample
[14] **désaffection** (*f*) falling away from
[15] **gamme** (*f*) line

COMPRÉHENSION

Répondez en faisant une phrase complète.

1. Qui est Jacques Rivière?
2. De quoi Mme Hardy l'a-t-elle chargé?
3. Dans quoi se spécialisent les Biscuiteries Réunies?
4. Quelle est la responsabilité exacte du chef de produit?
5. Où se trouve la Bretagne par rapport à Paris?
6. Quel est le nom de la grande ville la plus proche de l'usine?
7. Pourquoi Jean-Paul doit-il visiter les directions régionales des ventes?

8. Que faut-il pour conquérir ou conserver un marché?
9. Que font apparaître les derniers sondages effectués par la Direction du marketing?
10. Qu'attend-on de Jean-Paul?

CONVERSATION

1. Qu'est-ce qu'un produit de grande consommation?
2. Nommez trois produits de grande consommation qui connaissent actuellement une croissance importante.
3. Quel est le nom de la compagnie qui fabrique chacun de ces produits?
4. Où est-ce qu'on fabrique ces produits? Est-ce que l'usine est dans un grand centre de production, près d'une grande ville ou à la campagne?
5. Où se trouvent ces usines par rapport à votre université?
6. A votre avis, pour faire vendre un produit, est-il important d'avoir visité l'usine où il est fabriqué? Pourquoi?
7. Qu'est-ce qu'un sondage? Qu'indique-t-il?
8. Est-ce que vous avez jamais répondu à un sondage? De quel genre de sondage s'agissait-il?

Vocabulaire

- **bout** (*m*) end, extremity
- **au bout de** at the end of
- **être à bout** to be exhausted, be out of patience
- **aller jusqu'au bout** to go all the way
- **aboutir à** to end up in, lead to

EXEMPLES

1. Je ne me souviens pas de son nom, mais je l'ai sur le bout de la langue.
2. Au bout de six mois de promotion intensive, le produit a atteint un niveau de vente acceptable.
3. Après une longue journée de travail, elle est à bout.
4. C'était une enquête pénible à faire, avec beaucoup de paperasserie, mais il est allé jusqu'au bout.
5. Ce candidat se demandait à quoi aboutirait le deuxième entretien.

- **grossiste** (*m*) wholesaler
- **acheter en gros** to buy wholesale
- **détaillant** (*m*) retailer
- **vendre au détail** to sell retail

EXEMPLES

1. Le détaillant achète ses marchandises chez le grossiste pour les revendre au détail.
2. Le fabricant vous fera des conditions spéciales si vous achetez en gros.

Et maintenant, testez-vous

Utilisez chacun des mots suivants dans une phrase complète. Cette phrase doit montrer que vous avez bien compris le sens du mot employé.

- au bout de
- aboutir à
- le grossiste
- le détaillant

L E C T U R E

Le Marketing

Le concept de marketing[Q] est étroitement lié à l'évolution de l'économie moderne. La pénurie[1] a fait place à[2] l'abondance qui aboutit à[3] la production et à la consommation de masse.

Le marketing s'est d'abord intéressé aux activités ayant trait à[4] la vente elle-même: fixation du prix, transport, stockage, manutention[5] et distribution de la marchandise aux grossistes[6] et aux détaillants.[7] Puis on a cherché à définir les besoins du consommateur, exprimés ou inconscients, pour mieux les satisfaire.

Aujourd'hui, le marketing n'intervient pas seulement à partir du moment où un produit est fabriqué, mais aussi au stade de[8] la recherche et du développement. On utilise de nombreux types d'enquêtes pour des études de marché et de motivation d'achat. On cherche à mesurer les réactions de l'utilisateur potentiel en ce qui concerne le prix, la présentation, l'emballage.[9] On teste l'efficacité des messages publicitaires[10] et l'impact de l'image de marque[11] avant le lancement[12] d'un nouveau produit. Ainsi le marketing peut favoriser l'innovation et, dans tous les cas, encourage le maintien d'un niveau de service élevé à la clientèle.

Le marketing n'a pas que des défenseurs. Certains lui reprochent de stimuler la demande de produits ou de services inutiles. Les mouvements de consommateurs s'indignent de pratiques douteuses, comme par exemple la publicité mensongère.[13] Le consumérisme et le marketing doivent avoir la même préoccupation: la meilleure qualité du produit ou du service fournis.

1 **pénurie** (*f*) scarcity
2 **faire place à** to give way to
3 **aboutir** to end up
4 **avoir trait à** to refer to
5 **manutention** (*f*) handling
6 **grossiste** (*m*) wholesaler
7 **détaillant** (*m*) retailer
8 **au stade de** at the level of
9 **emballage** (*m*) wrapping
10 **message** (*m*) **publicitaire** advertising message
11 **image** (*f*) **de marque** brand image
12 **lancement** (*m*) launching, introduction
13 **mensonger** misleading, lying

QUELQUES DÉFINITIONS*

marketing

Le marketing est l'ensemble des études et des techniques qui conduisent à la mise en place d'un produit sur le marché dans des conditions propres à assurer son succès commercial.

support
Le support est tout élément matériel qui transmet des informations ou des messages publicitaires. Un journal est un support; l'ensemble de la presse est un media.

° Source: publication du Conseil National de la Publicité

QUESTIONS

Répondez en faisant une phrase complète.

1. A quoi le concept de marketing est-il lié?
2. A quelles activités le marketing s'est-il d'abord intéressé?
3. Qu'est-ce qu'on a cherché à définir ensuite?
4. A quel stade est-ce que le marketing intervient aujourd'hui?
5. Qu'est-ce qu'on cherche à mesurer?
6. Qu'est-ce qu'on teste avant le lancement d'un nouveau produit?
7. Qu'est-ce qu'on reproche au marketing?
8. Quelle doit être la préoccupation du consumérisme et du marketing?

TRADUCTION

Traduisez les phrases suivantes en vous inspirant du vocabulaire et des expressions utilisés dans ce chapitre.

1. Jacques Rivière has been Mme Hardy's aide for three years.
2. The scarcity of gasoline in 1973 made prices go up considerably.
3. The first stage of your training will be in a factory.
4. Marketing has to refer to the distribution of merchandise to both wholesalers and retailers.
5. Competition is tough in the agribusiness.
6. Packaging has a lot to do with the product's brand image.
7. We don't have samples of the whole range of our products right now.
8. How do you test the efficiency of advertising?
9. There are many more large supermarkets now than twenty years ago.
10. Misleading ads can cause a lot of trouble.

Thème de discussion et de débat

- Comment peut-on défendre le consommateur (rôle de l'Etat et des associations)?

Exercice de correspondance commerciale

1. *Complétez la lettre adressée à Monsieur Kermarec par Madame Hardy pour annoncer la visite de Jean-Paul Dupré. Utilisez les mots suivants, en les modifiant, comme il convient, pour les adapter au texte (accord en genre et en nombre, forme et temps des verbes):*

chef de produit	recevoir
compte rendu	remercier
confier	sentiment
opérationnel	stage
profit	vente

(Le signataire et le destinataire se connaissent bien et sont pratiquement au même niveau dans la hiérarchie de l'entreprise. Le ton est courtois et amical à la fois.)

Paris le 8 novembre 198–

Monsieur Yves Kermarec
Directeur
Usine des Biscuiteries Réunies S.A.
35160 Montfort

Monsieur le Directeur et cher collègue,

J'ai bien ______ votre lettre du 5 novembre et vous en ______. Je vais réfléchir à la question que vous avez soulevée.

Je vous écris pour vous annoncer la visite d'un de nos nouveaux ______. Il s'agit d'un jeune HEC, Monsieur Jean-Paul Dupré, à qui nous venons de ______ la responsabilité des produits chocolatés.

Avant toute chose, nous souhaitons qu'il se familiarise sur le terrain avec nos problèmes de production et de ______. En effet, son expérience professionnelle est limitée aux ______ qu'il a eu à accomplir au cours de ses études. Il va commencer par votre usine et se rendra ensuite dans nos différentes Directions régionales.

Je vous serais reconnaissante de veiller personnellement à ce qu'il tire le plus grand ______ de cette visite chez vous. Il est important qu'il puisse devenir rapidement ______.

Auriez-vous l'amabilité de lui faire réserver une chambre à l'hôtel habituel pour les nuits du 20, 21, 22, et 23 novembre. Il arrivera à Rennes par le train et louera une voiture sur place.

Je vous demanderai de bien vouloir m'adresser un bref ______ de son séjour en Bretagne. Vos commentaires personnels me seront précieux.

A bientôt le plaisir de vous voir. Croyez, Monsieur le Directeur et cher collègue, à mes ______ amicalement dévoués.

Gisèle Hardy
Directeur du Marketing
Biscuiteries Réunies S.A.

---

2. *Rédigez la lettre que Monsieur Kermarec écrit à Madame Hardy après la visite de Jean-Paul Dupré*

- Il accuse réception de la lettre du 8 novembre
- Il fait un compte rendu détaillé de la visite de Jean-Paul Dupré
- Comme le demande Madame Hardy, il ajoute ses commentaires personnels, qui sont élogieux, bien qu'il ait eu peu de temps pour juger
- Formule de politesse pour terminer

CHAPITRE 5

DIALOGUE
Le Déjeuner d'affaires

Madame Hardy déjeune dans un restaurant de Clermont-Ferrand, en compagnie de Monsieur Nectaire, le Directeur des ventes pour la région Auvergne.

MME HARDY: Je suis très satisfaite de notre réunion avec votre équipe de représentants, ce matin.

M. NECTAIRE: Il est utile que vous veniez ici au moins une fois par an. Nos employés se montrent en général plus motivés quand ils ont l'impression que le siège[1] partage leurs préoccupations quotidiennes ou, en tout cas, cherche à s'en informer.

MME HARDY: Et réciproquement, je tire moi aussi beaucoup de profit de ces voyages.

M. NECTAIRE: J'en suis ravi.

MME HARDY: En développant ces contacts on facilite l'échange d'informations. Ainsi, quelqu'un m'a dit que l'emballage de nos madeleines[2] pourrait être amélioré.[3]

M. NECTAIRE: C'est vrai. La présentation actuelle[4] est plutôt terne.[5] Elle n'est pas faite pour stimuler la gourmandise du consommateur en puissance.[6] Certains détaillants nous disent aussi qu'il y a de la demande pour des paquets de plus grande contenance.[7]

MME HARDY: Nous le savons. L'ennui[8] est que le produit perd vite de sa fraîcheur quand le paquet est ouvert.

[1] **siège** (*m*) company headquarters
[2] **madeleine** (*f*) small shell-shaped cake
[3] **améliorer** to make better, improve
[4] **actuel** current
[5] **terne** drab
[6] **en puissance** potential
[7] **contenance** (*f*) capacity
[8] **ennui** (*m*) problem, drawback

M. Nectaire: C'est un problème de conditionnement.[9]

Mme Hardy: Effectivement. Nos laboratoires cherchent une solution pratique et peu coûteuse.

M. Nectaire: Je vous conseille de goûter ce fromage. C'est une spécialité de la région.

Mme Hardy: Hum. . . Il a belle mine[10] et ira bien avec le vin que vous avez choisi. . . Vous me parliez tout à l'heure de difficultés de stockage.[11]

M. Nectaire: Oui, et il faudra qu'une décision soit prise rapidement. Notre entrepôt[12] est arrivé à saturation.

Mme Hardy: Est-ce que les livraisons[13] prennent du retard?[14]

M. Nectaire: Hélas! Plusieurs de nos clients, grossistes ou grandes surfaces,[15] sont fort mécontents et menacent de s'approvisionner[16] chez nos concurrents.[17]

Mme Hardy: Quel remède proposez-vous?

M. Nectaire: Nous avons le choix entre deux projets: agrandir l'entrepôt existant, ou en faire construire un plus grand et plus fonctionnel sur un terrain[18] que possède la société à quelques kilomètres d'ici. Dans ce cas, la revente du premier permettrait de réaliser une importante plus-value,[19] une fois les travaux terminés.

Mme Hardy: Avez-vous demandé une étude des coûts comparés?

M. Nectaire: Oui. Elle est à la dactylographie.[20] Je l'enverrai à Paris demain. Vous en recevrez un exemplaire.[21]

Mme Hardy: Parfait. J'en discuterai personnellement avec le Directeur financier. Je devine déjà où vont vos préférences.

[9] **conditionnement** (*m*) packaging
[10] **mine** (*f*) appearance
[11] **stockage** (*m*) storage, stocking
[12] **entrepôt** (*m*) warehouse
[13] **livraison** (*f*) delivery
[14] **prendre du retard** to run behind schedule
[15] **grande surface** (*f*) supermarket, large store
[16] **s'approvisionner** to buy stock
[17] **concurrent** (*m*) competitor
[18] **terrain** (*m*) land
[19] **plus-value** (*f*) increase in value
[20] **à la dactylographie** being typed
[21] **exemplaire** (*m*) copy
[22] **au fait** by the way

M. Nectaire: Je souhaite avant tout une décision rapide. Merci d'avance pour l'aide que vous nous apporterez.

Mme Hardy: Au fait.[22] Vous aurez bientôt la visite d'un de nos jeunes collaborateurs tout spécialement chargé de suivre l'évolution des produits chocolatés.

M. Nectaire: Il sera bien accueilli. Garçon, l'addition, s'il vous plaît.

[22] **au fait** by the way

Compréhension

Répondez en faisant une phrase complète.

1. Avec qui déjeune Mme Hardy, et où?
2. Qu'a-t-elle fait avant le déjeuner?
3. M. Nectaire trouve-t-il que Mme Hardy vient trop souvent?
4. Que facilite-t-on en développant les contacts entre le siège et les directions régionales?
5. Quelle remarque Mme Hardy a-t-elle entendue à propos de l'emballage des madeleines?
6. Qu'en pense M. Nectaire?
7. Que suggèrent certains détaillants?
8. Quel est le principal problème de M. Nectaire?
9. Pourquoi y a-t-il des difficultés de stockage?
10. De qui dépend la solution du problème de M. Nectaire?

Conversation

1. Qu'est-ce que la motivation?
2. Selon vous, qu'est-ce qui peut motiver un employé? un étudiant?
3. Comment est-ce que la motivation peut être utile à une entreprise?
4. Qu'est-ce qui vous motive à travailler?
5. Comment la présentation d'un produit peut-elle influer sur le consommateur?
6. Nommez un produit qui a changé de présentation. Quelle a été votre réaction?
7. Citez plusieurs produits dont vous trouvez l'emballage peu intéressant et dites pourquoi.
8. Qu'est-ce que vous changeriez dans cette présentation?

Vocabulaire

- **actuel** current, present, topical
- **actuellement** currently, at present
- **actualité** (*f*) current situation
- **actualités** (*f*) news (on TV, in the press)

EXEMPLES

1. La présentation actuelle est plutôt terne.
2. On cherche actuellement une solution pratique au problème du conditionnement.
3. Jean-Paul Dupré s'intéresse à l'actualité politique, économique et sociale.
4. On présente les actualités plusieurs fois par jour à la télévision française.

- **gourmand** fond of eating
- **gourmandise** (*f*) greediness, gluttony; appetite
- **gourmandises** (*f pl*) special dishes, sweets
- **gourmet** (*m*) gourmet, one who appreciates refinement in food and drink

EXEMPLES

1. Les enfants sont d'habitude très gourmands de bonbons.
2. La présentation des madeleines n'est pas faite pour stimuler la gourmandise du consommateur en puissance.
3. Mme Perche a préparé beaucoup de gourmandises pour fêter l'anniversaire de son fils cadet.
4. Notre produit ne se contente pas de plaire aux gourmets. Il veut séduire le grand public.

Et maintenant, testez-vous

Utilisez chacun des mots suivants dans une phrase complète. Cette phrase doit montrer que vous avez bien compris le sens du mot employé.

- actuel
- l'actualité
- les actualités
- gourmand
- les gourmandises

LECTURE

La Distribution

L'objectif de la distribution est de relier[1] les deux phases de production et de consommation d'un produit. Le circuit de distribution décrit le cheminement de ce produit depuis l'usine jusqu'à l'utilisateur final, en passant par les différents intermédiaires.

Il faut donc, en premier lieu, prévoir le transport et éventuellement le stockage pour une durée plus ou moins longue selon le type de marchandise traitée.

Tous les producteurs n'utilisent pas nécessairement les intermédiaires. Un paysan qui cultive une petite ferme vendra directement ses fruits et légumes au marché de la ville. De même une compagnie qui vend des avions ou des usines clé en main[2] connaît les acheteurs potentiels de ce type d'équipement. Elle s'adressera directement à eux sur le territoire national ou à l'étranger.

Entre ces deux extrêmes, on trouvera le plus souvent des entreprises qui, pour diffuser[3] leur production, font appel à[4] des magasins de détail qui sont en contact direct avec le consommateur, ou à des grossistes qui stockent et distribuent aux détaillants les produits de plusieurs entreprises.

Pour les produits de grande consommation, il existe plusieurs catégories de grands magasins.

- Les détaillants ou petites surfaces qui, vendant peu d'un produit donné, sont souvent obligés de prendre une marge bénéficiaire[5] élevée pour rentrer dans leurs frais.[6]
- Les grands magasins et magasins populaires.
- Les supermarchés et les hypermarchés. Ces derniers, grâce à leur fort volume de ventes, peuvent se permettre des marges[7] réduites. Par ailleurs,[8] ils obtiennent des producteurs d'importantes réductions.

[1] **relier** to join

[2] **usine** (*f*) **clé en main** turnkey factory (the factory is sold fully equipped and ready to operate)

[3] **diffuser** to distribute

[4] **faire appel à** to turn to, contact

[5] **marge** (*f*) **bénéficiaire** profit margin

[6] **rentrer dans leurs frais** (*m pl*) to recover their expenses

[7] **marge** (*f*) margin

[8] **par ailleurs** on the other hand, besides

QUELQUES DÉFINITIONS

Les réductions

Le rabais est une réduction à caractère exceptionnel pratiquée sur le prix d'une marchandise. Il est généralement accordé pour compenser un défaut de qualité ou de conformité reconnu.

La remise est une réduction habituelle. Elle est souvent exprimée par un pourcentage sur le prix de vente et est accordée en raison de la qualité de l'acheteur: mère de famille nombreuse, enseignant, association sportive, etc.

La ristourne est une réduction accordée aux clients avec lesquels l'entreprise réalise un certain volume de ventes.

L'escompte de règlement est une réduction accordée à un client qui accepte de payer avant le terme normal d'exigibilité.

QUESTIONS

Répondez en faisant une phrase complète.

1. Où va le paysan pour vendre ses fruits et ses légumes?
2. Quel type de magasin doit prendre une marge bénéficiaire plus importante que les autres?
3. Quel est l'objectif de la distribution?
4. Qu'est-ce qui détermine la durée du stockage?
5. Qu'est-ce qui permet une marge réduite aux hypermarchés?

TRADUCTION

Traduisez les phrases suivantes en vous inspirant du vocabulaire et des expressions utilisés dans ce chapitre.

1. We buy from them because their deliveries are never late.
2. There is always a mark-up of at least 100% on clothing.
3. The company owns grounds near Paris.
4. Do you think the appearance could be important?
5. We contact retail stores to distribute these products.
6. That cheese looks good. Can I try some?

7. Headquarters says that our competitors are selling more than we are.
8. Will the potential customer like bigger packages?
9. My report on the increase in value is being typed.
10. By the way, do you like madeleines?

Thème de discussion et de débat

- Les mérites et les inconvénients respectifs du petit et du grand commerce: niveau des prix, service, choix des produits, accessibilité, etc.

Les 15 premières entreprises commerciales françaises en 1978

	Entreprises	Activité principale	Chiffre d'affaires	Effectifs
1	Carrefour	supermarchés	14 522	15 629
2	Nouvelles Galeries Réunies	grands magasins	8 040	29 000
3	Casino Guichard-Perrachon	succursalisme§	7 294	14 000
4	Promodès	grossiste	6 838	13 661
5	Viniprix	succursalisme	6 335	11 900
6	Compagnie Française de l'Afrique Occidentale (CFAO)	import-export	6 316	24 292
7	Radar	succursalisme	6 029	14 619
8	Auchan	supermarchés	5 917	6 746
9	Galeries Lafayette°	grands magasins	5 757	ND†
10	Société Commerciale de l'Ouest Africain (SCOA)	import-export	5 747	25 000
11	Printemps	grands magasins	5 705	18 424
12	Office Commercial Pharmaceutique	grossiste	5 204	4 813
13	Comptoirs Modernes	succursalisme	4 289	2 401
14	Docks de France	succursalisme	3 825	7 666
15	Cedis	succursalisme	3 466	7 751

° chiffres non consolidés

† ND: non disponible

§ **succursalisme** (*m*) chain store business

DOCUMENT 16

Exercice de correspondance commerciale

1. *Voici une lettre de réclamation pour retard de livraison. Complétez la lettre adressée à Monsieur Nectaire par Monsieur Pinay, Directeur commercial d'une entreprise locale spécialisée dans la vente en gros de produits alimentaires. Utilisez les mots suivants, en les modifiant, comme il convient, pour les adapter au texte (accord en genre et en nombre, forme et temps des verbes):*

approvisionnement	efficacité	marche
assurance	engagement	recevoir
clientèle	épuiser	sans que
concurrent	fournir	satisfaction
courrier	livraison	suite

Remarquez le ton très formel et catégorique qui va même jusqu'à la menace: «S'il ne vous était pas possible. . .»

Clermond-Ferrand, le 30 novembre 198–

Direction Régionale des Ventes
Biscuiteries Réunies S.A.
63001 Clermont-Ferrand CEDEX

MONSIEUR,

______ à ma lettre du 11 courant, je vous rappelle une fois de plus notre commande du 10 octobre et vous exprime mon étonnement de n'avoir encore rien ______.

Par lettre du 15 dernier vos services s'étaient engagés à nous ______ la marchandise commandée dans les plus brefs délais.

Dans l'espoir d'une ______ ponctuelle, je n'avais pas pris d'autres dispositions pour garantir l' ______ de notre stock, qui se trouve, à l'heure actuelle, entièrement ______.

Notre ______ habituelle nous presse tous les jours, ______ nous puissions lui donner ______. Je vous laisse juge des conséquences que peut entraîner ce retard pour la bonne ______ de nos affaires.

Jusqu'à maintenant je n'avais eu qu'à me féliciter de l'______ de vos services. Je me vois cependant forcé de vous mettre en demeure de me faire savoir par retour du ______ si vous êtes en mesure de tenir vos ______.

S'il ne vous était pas possible de nous livrer immédiatement la marchandise commandée, je serais dans l'obligation de me la procurer chez un de vos ______.

Il va sans dire que j'attends vos explications quant aux raisons de ce retard.

Je vous prie de croire, Monsieur, à l'______ de mes sentiments distingués.

GEORGES PINAY
Directeur commercial

---

2. *Rédigez la réponse de Monsieur Nectaire à Monsieur Pinay en développant les points suivants:*
   - regrets et excuses pour le retard
   - enquête auprès des services de vente
   - confirmation de la livraison immédiate
   - explication des difficultés temporaires de stockage
   - remèdes proposés pour l'amélioration des livraisons à l'avenir
   - espoir de voir continuer les bonnes relations avec le client.

TEST DE VOCABULAIRE I
Chapitres 1 à 5

Ce test a pour but de vérifier l'assimilation du vocabulaire technique. N'hésitez pas à le recommencer jusqu'à l'automatisme. Vous trouverez les bonnes réponses page 170. Le chiffre entre parenthèses renvoie au chapitre où le vocabulaire est utilisé.

Complétez les phrases suivantes:

1. Un ______ est encore plus grand qu'un supermarché. (5)
2. Le ______ est une réduction à caractère exceptionnel. (5)
3. L'admission dans une Grande Ecole se fait par ______. (1)
4. Dans une entreprise individuelle, la totalité des bénéfices réalisés est soumise à l'impôt sur le ______. (1)
5. On obtient la ______ généralement un an après le DEUG. (1)
6. On range les différents dossiers dans des ______ de couleurs différentes. (2)
7. Au cours de ses études à HEC, un étudiant doit effectuer trois ______ en entreprise. (1)
8. On appelle ______ d'______ le montant total des ventes. (2)
9. Le salaire est fixe, mais les ______ varient en fonction des résultats obtenus. (2)
10. Les employés des Biscuiteries Réunies ont droit à six semaines de ______ ______. (2)
11. L'ensemble des apports effectués par les associés d'une société représente le ______ ______. (2)
12. On mesure la popularité des personnalités politiques au moyen de ______ d'opinion. (3)
13. Quand l'Etat prend le contrôle d'une entreprise privée, on dit qu'il y a ______. (3)
14. La mise au ______ d'un produit doit précéder son lancement. (4)
15. Les produits chocolatés sont fabriqués dans l'______ de Bretagne. (4)
16. La ______ est le contraire de l'abondance. (4)
17. Le mot ______ est synonyme de manipulation de marchandise. (4)
18. Si nous voulons rentrer dans nos frais, nous devrons prendre une ______ bénéficiaire plus élevée. (5)

19. Les marchandises sont en général stockées dans un ______. (5)
20. La ______ est une réduction accordée aux clients importants. (5)

CHAPITRE 6

DIALOGUE

La Tournée

Le même jour, à 500 kms de Clermont-Ferrand, Jean-Paul fait sa première tournée[1] *en Normandie, dans la voiture d'un représentant, Monsieur Minaud.*

M. MINAUD: Votre première visite est pour notre secteur?

J.P. DUPRÉ: Non, j'ai commencé par l'usine de Bretagne la semaine dernière. Votre voiture est très confortable.

M. MINAUD: Il le faut bien quand on y passe autant de temps que moi, et, pas toujours sur autoroute, comme aujourd'hui.

J.P. DUPRÉ: Est-elle gourmande? [2]

M. MINAUD: Non, 8 litres et demi aux 100 kilomètres[3] sur route, et un peu plus en parcours urbain.[4]

J.P. DUPRÉ: Je vois que vous transportez beaucoup de choses.

M. MINAUD: Oui. Il y a du matériel de promotion des ventes et pas mal d'échantillons de nos gammes de denrées[5] non périssables.

J.P. DUPRÉ: Des produits chocolatés, j'espère.

M. MINAUD: Naturellement. Je travaille aussi pour vous, mais le marché est difficile.

J.P. DUPRÉ: Par quoi débute notre tournée?

M. MINAUD: Par une chaîne de supérettes à Rouen.

[1] **tournée** (*f*) tour
[2] **gourmand** expensive to run because of high gas consumption, gas guzzler
[3] **litres/100 km** French measure of automobile economy, just the opposite of the American mpg
[4] **en parcours** (*m*) **urbain** city driving
[5] **denrée** (*f*) foodstuff

J.P. DUPRÉ: Ce sont des magasins d'alimentation en libre service,[6] n'est-ce pas?

M. MINAUD: C'est exact mais leur surface ne dépasse pas 400m².[7] Ces supérettes qui sont installées dans des quartiers très peuplés assurent un écoulement[8] régulier à presque tous nos produits.

J.P. DUPRÉ: Avez-vous toujours affaire à la même personne là où vous passez?

M. MINAUD: Dans une supérette, je vois généralement le gérant. Dans des entreprises individuelles comme les épiceries je vois le patron ou sa femme.

J.P. DUPRÉ: En quoi consiste votre travail?

M. MINAUD: D'abord je reçois des informations directes des distributeurs sur ce qui marche ou sur ce qui ne marche pas.

J.P. DUPRÉ: Quand la marchandise reste sur les étagères,[9] c'est que ça ne marche pas!

M. MINAUD: C'est évident. Ensuite, je remplis les bons de commande[10] où doivent figurer[11] les références des articles demandés, la quantité, le prix et, le cas échéant,[12] le mode de règlement.[13]

J.P. DUPRÉ: Comment s'effectue la livraison?

M. MINAUD: Par l'intermédiaire de la Direction Régionale, avec nos propres camions et camionnettes.

J.P. DUPRÉ: Et les factures?[14]

M. MINAUD: La facturation est entièrement informatisée.[15] Tout se traite par ordinateur.[16]

J.P. DUPRÉ: Vous ne passez jamais dans les hypermarchés?

[6] **libre service** (*m*) self-service
[7] **m² (mètres carrés)** square meters
[8] **écoulement** (*m*) sale, disposal, turnover
[9] **étagère** (*f*) shelf
[10] **bon** (*m*) **de commande** order blank
[11] **figurer** to appear
[12] **le cas échéant** should the occasion arise
[13] **règlement** (*m*) payment
[14] **facture** (*f*) bill, invoice
[15] **informatisé** computerized
[16] **ordinateur** (*m*) computer.

M. MINAUD: Non. Les hypermarchés, comme les supermarchés, font en général partie de puissants groupements financiers ou coopératifs qui disposent de leur propre centrale d'achat.[17] Les commandes sont négociées directement avec la Direction Générale.

J.P. DUPRÉ: Tiens, pourquoi ralentissez-vous?

M. MINAUD: Nous arrivons au péage.[18]

J.P. DUPRÉ: J'aperçois un panneau indiquant restauroute[19] à 10 kilomètres. Je vous invite à prendre un café.

M. MINAUD: Avec plaisir. J'en profiterai pour faire le plein[20] d'essence à la station-service.

J.P. DUPRÉ: Vous roulez à l'ordinaire[21] ou au super?[22]

M. MINAUD: A l'ordinaire. C'est moins cher!

COMPRÉHENSION

Répondez en faisant une phrase complète.

1. Jean-Paul a-t-il commencé ses visites par la Normandie?
2. Avec qui fait-il sa première tournée?
3. Combien consomme la voiture de M. Minaud?
4. Dans quelle ville débute la tournée?
5. Quelle est approximativement la surface d'une supérette?
6. Quel type d'informations le représentant reçoit-il des distributeurs visités?
7. De quelle manière voit-on qu'une marchandise ne se vend pas bien?
8. Que doit indiquer le représentant sur le bon de commande?
9. Comment s'effectuent les livraisons de marchandises?
10. Pourquoi M. Minaud ne passe-t-il pas dans les hypermarchés ou dans les supermarchés?

[17] **centrale** (*f*) **d'achat** central purchasing organization
[18] **péage** (*m*) toll (booth)
[19] **restauroute** (*m*) roadside restaurant
[20] **faire le plein** to fill it up
[21] **rouler à l'(essence) ordinaire** to use regular (gas)
[22] **super** (*m*) high-test gas

Conversation

1. Qu'est-ce qu'un représentant?
2. Comment mesure-t-on la consommation d'une voiture en France?
3. Est-ce que votre famille possède une voiture? Quelle marque? Est-ce qu'elle consomme beaucoup?
4. Qu'est-ce qu'une supérette?
5. Est-ce qu'il y a beaucoup de supérettes dans votre ville?
6. Quelle est la différence entre la supérette et l'épicerie?
7. Qu'est-ce qu'un bon de commande?
8. Qu'est-ce qu'un supermarché?
9. Quelle est la différence entre un supermarché et un hypermarché?
10. Où faites-vous vos achats de produits alimentaires?

Vocabulaire

Les adjectifs suivants changent de sens selon leur place, avant ou après le nom.

- **propre**
  nos **propres** camions *our own trucks*
  une **usine propre** *a clean factory*
  un nom **propre** *a proper noun*
- **ancien**
  un **ancien** représentant *a former sales representative*
  un représentant **ancien** *an old sales representative*
- **pauvre**
  le **pauvre** client *the poor customer! (unfortunate)*
  le client **pauvre** *the poor customer (without money)*
- **simple**
  un **simple** soldat *a mere soldier (i.e., a private)*
  un soldat **simple** *a simple-minded soldier*

- **affaire** (*f*) item of business; affair
- **affaires** (*f pl*) business
- **avoir affaire à** to deal with
- **chiffre** (*m*) **d'affaires** turnover, total sales

EXEMPLES

1. M. Minaud a une affaire à régler à Rouen.
2. Aux Biscuiteries Réunies les affaires vont très bien actuellement.
3. Dans une petite épicerie, le représentant a affaire au gérant ou à sa femme.
4. Notre chiffre d'affaires dépassera bientôt 500 millions de francs.

Et maintenant, testez-vous

Utilisez chacun des mots suivants dans une phrase complète. Cette phrase doit montrer que vous avez bien compris le sens du mot employé.

- propre
- ancien
- pauvre
- l'affaire
- avoir affaire à
- le chiffre d'affaires

LECTURE

La Vente

La force de vente[1] constitue l'organe essentiel chargé du contact entre l'entreprise et la clientèle. Son rôle est de s'assurer que le produit ou le service est accessible dans le plus grand nombre de points de vente, ou à la disposition des clients.

Pour les biens industriels la force de vente est en liaison[2] directe avec les utilisateurs et les acheteurs. Pour les produits de grande consommation elle travaille surtout au niveau de la distribution. Elle se compose généralement de représentants et de V.R.P. (voyageurs-représentants-placiers).[3] Les biens de consommation[4] exigent des forces de vente étoffées[5] parce qu'il faut beaucoup de gens pour visiter 10 000 ou 20 000 magasins plusieurs fois par an.

Ce nombre important de représentants ou de vendeurs chargés de transmettre auprès de la clientèle l'image de l'entreprise pose certains problèmes de gestion. Il faut d'abord recruter les personnes ayant les caractéristiques requises. Le vendeur ou la vendeuse est, en quelque sorte, l'ambassadeur de sa maison.[6] Parfois la clientèle ne connaît que lui, ou qu'elle. L'énergie, la bonne humeur, la persévérance, la force de persuasion, la connaissance du produit vendu, l'aptitude au contact personnel sont les qualités qui garantissent la réussite.

Il faut aussi contrôler en permanence[7] les activités de la force de vente et lui fournir la motivation nécessaire à l'accomplissement de sa mission. Il est donc indispensable de définir un système de rémunération qui incite chacun à effectuer sa tâche dans les meilleures conditions possibles. Le représentant est généralement salarié de l'entreprise. Il touche[8] un fixe et une prime qui varie selon le chiffre obtenu. Le V.R.P. est payé à la commission. Il peut représenter plusieurs maisons, c'est-à-dire avoir plusieurs cartes.[9] Il dispose d'une plus grande liberté de choix dans l'organisation de son travail. Cette formule convient aux entreprises qui débutent ou qui ont des

[1] **force** (*f*) **de vente** sales force
[2] **en liaison** (*f*) **avec** in contact with
[3] **V.R.P. (voyageur-représentant-placier)** sales representative paid by commission
[4] **bien** (*m*) **de consommation** consumer good
[5] **étoffé** important
[6] **maison** (*f*) firm
[7] **en permanence** permanently, continuously
[8] **toucher** to receive, draw
[9] **avoir plusieurs cartes** to represent several firms

ressources limitées. Elle est moins favorable au travail en profondeur,[10] pour une firme dont la taille ou l'évolution technique par exemple demande des liens de subordination[11] plus étroits.

[10] **en profondeur** (*f*) in depth
[11] **lien** (*m*) **de subordination** chain of command

Questions

Répondez en faisant une phrase complète.

1. Qui est chargé du contact entre l'entreprise et la clientèle?
2. Est-ce que les représentants et les V.R.P font beaucoup de visites par an?
3. Quelles sont les qualités les plus importantes pour un vendeur ou une vendeuse?
4. Qu'est-ce qui incite le vendeur ou la vendeuse à effectuer sa tâche le plus efficacement?
5. Selon vous, quels sont les avantages de la vie de représentant? les inconvénients?

Traduction

Traduisez les phrases suivantes en vous inspirant du vocabulaire et des expressions utilisés dans ce chapitre.

1. Consumer goods require a greater sales force because there are so many points of sale.
2. It is difficult to keep samples of perishable foodstuffs.
3. Is your car expensive to run?
4. They draw a small salary, but the bonuses are quite generous.
5. The billing has recently been computerized.
6. It's important that the merchandise not stay on the shelves long.
7. Our order blanks are printed in Rouen.
8. Weren't they thinking of buying that firm in Paris?
9. There are fewer self-service food stores in France than in the U.S.
10. The central purchasing organization furnishes the cooperatives with any required articles.

Thème de discussion et de débat

- Quel est le profil idéal pour un vendeur ou une vendeuse?

Exercice de correspondance commerciale

Voici trois lettres d'information à la clientèle. Traduisez-les.

MESSIEURS,

Nous avons le plaisir de vous informer qu'un représentant de notre Direction régionale des ventes vous rendra visite dans quelques jours, afin de vous présenter nos nouvelles gammes de produits et de vous remettre des échantillons.

Nous espérons que vous voudrez bien le recevoir et lui faire part de vos remarques concernant les produits de notre société dont vous assurez déjà la distribution.

Avec mes remerciements, veuillez agréer, Messieurs, l'assurance de nos sentiments dévoués.

MESSIEURS,

Nous avons l'honneur de vous faire savoir qu'à partir du ler janvier de l'année prochaine notre entrepôt sera transféré à l'adresse suivante:

95 Boulevard de Ceinture, Zone Industrielle.

Notre ancien entrepôt ne nous permettait plus de faire face efficacement à la demande grandissante de la clientèle. Il en est résulté certains retards dans les livraisons dont nous vous demandons de bien vouloir nous excuser.

Nous espérons que les nouvelles installations, plus grandes et plus fonctionnelles, vous donneront entière satisfaction.

Veuillez agréer, Messieurs, l'expression de nos sentiments les meilleurs.

MONSIEUR ET CHER CLIENT,

La hausse continue du cacao sur le marché international nous impose d'augmenter nos prix à compter du 15 de ce mois. Les commandes qui nous parviendront avant cette date continueront d'être honorées aux anciens prix.

Nous vous rappelons que nos conditions de règlement comportent un escompte de 2,5% dans le cas d'un règlement à trente jours.

Dans l'espoir d'une prochaine commande de votre part, nous vous prions, Monsieur et cher client, de croire à nos sentiments très dévoués.

CHAPITRE 7

DIALOGUE

Le Langage des chiffres

Revenu de province,[1] Jean-Paul Dupré s'est installé comme chef de produit à la Direction du Marketing. Il s'entretient avec[2] Monsieur Lecompte, le chef-comptable.[3]

J. P. Dupré: Quand j'étais à l'Ecole, j'ai eu, au début, beaucoup de mal à comprendre les principes du Plan Comptable Général.[4]/Q.

M. Lecompte: C'est une question de pratique. L'étude de la comptabilité ressemble à celle d'une langue étrangère.

J. P. Dupré: Très juste. Il faut d'abord en assimiler le vocabulaire et les mécanismes . . .

M. Lecompte: Et il est nécessaire de la pratiquer régulièrement.

J. P. Dupré: Dites-moi. Vos bureaux ont l'air en pleine effervescence.[5] Les secrétaires courent dans toutes les directions, les bras chargés[6] de dossiers. Que se passe-t-il?

M. Lecompte: Le commissaire aux comptes[7] est dans nos murs pour la vérification annuelle.

J. P. Dupré: Ah, je comprends!

M. Lecompte: Il est en train d'examiner les documents relatifs au

[1] **province** (*f*) anywhere in France outside Paris

[2] **s'entretenir avec** to have a conversation with

[3] **chef-comptable** (*m*) chief accountant

[4] **Plan** (*m*) **Comptable Général** General Accounting Plan, set of generally accepted accounting principles

[5] **en pleine effervescence** very busy

[6] **chargé** loaded

[7] **commissaire** (*m*) **aux comptes** auditor

dernier exercice,[8] bilan,[9] compte de résultat,[10Q] etc. . .

J. P. DUPRÉ: C'est un moment difficile pour vous et vos collaborateurs.

M. LECOMPTE: Oui, bien sûr. Mais le rôle de la comptabilité n'est pas seulement de préparer l'audit annuel.

J. P. DUPRÉ: Je m'en doute.[11]

M. LECOMPTE: Ma responsabilité s'étend[12] à la fois à la comptabilité générale et à la comptabilité analytique,[13] sous l'autorité directe du Directeur administratif et du contrôleur de gestion.

J. P. DUPRÉ: Vous faites ainsi le travail de deux personnes.

M. LECOMPTE: C'est une façon de parler![14] Je suis heureusement bien secondé. Vous voyez, la comptabilité générale est semblable au livre de bord[15] d'un navire où le commandant consigne les événements quotidiens.

J. P. DUPRÉ: L'exercice correspond d'une certaine manière, à un voyage qui dure un an.

M. LECOMPTE: La comparaison est tout à fait appropriée. La comptabilité analytique permet, elle, de calculer les prix de vente à partir des prix de revient[16] et par conséquent de mieux évaluer la rentabilité[17] de chacune de nos fabrications.

J. P. DUPRÉ: Pour un chef de produit comme moi, cela a une importance capitale.

M. LECOMPTE: Pas uniquement pour vous. La comptabilité analytique est un véritable système d'information interne. Grâce à elle on peut mieux orienter les activités

[8] **exercice** (*m*) fiscal year
[9] **bilan** (*m*) balance sheet
[10] **compte** (*m*) **de résultat** income statement
[11] **je m'en doute** I'm not surprised
[12] **s'étendre** to extend
[13] **comptabilité** (*f*) **analytique** managerial accounting
[14] **c'est une façon de parler** that's one way of putting it
[15] **livre** (*m*) **de bord** ship's log
[16] **prix** (*m*) **de revient** cost price
[17] **rentabilité** (*f*) profitability

industrielles et commerciales, et prendre les décisions qui conviennent.

J. P. DUPRÉ: Pour le moment, j'aimerais que vous me parliez des produits chocolatés.

QUELQUES DÉFINITIONS

Plan Comptable Général
C'est un document officiel qui a établi pour la France une classification rationnelle des comptes et a standardisé la présentation des principaux documents comptables.

compte de résultat
Dans la nouvelle version du Plan Comptable, **le compte de résultat** rassemble les informations fournies précédemment par le compte d'exploitation générale (*trading account*) et par le compte de pertes et profits (*profit and loss account*).

COMPRÉHENSION

Répondez en faisant une phrase complète.

1. Les principes du Plan Comptable Général ont-ils toujours été très clairs pour Jean-Paul?
2. A quoi ressemble l'étude de la comptabilité?
3. Expliquez la comparaison.
4. Pourquoi les bureaux de la comptabilité ont-ils l'air en pleine effervescence?
5. Quelles sont les deux responsabilités de M. Lecompte?
6. De quelle Direction dépend la comptabilité?
7. A quoi Jean-Paul compare-t-il la comptabilité générale?
8. Quelle est la durée normale d'un exercice?
9. A quoi sert la comptabilité analytique?
10. De quoi Jean-Paul veut-il que le chef-comptable lui parle?

CONVERSATION

1. Qu'est-ce que le Plan Comptable Général?
2. Que fait le commissaire aux comptes?
3. Qu'est-ce que la vérification annuelle?
4. Quelles qualités faut-il pour être comptable?
5. Qu'est-ce que l'exercice?

6. Quelles langues étrangères parlez-vous?
7. Citez des activités qu'il faut, comme une langue étrangère, pratiquer régulièrement.
8. A quoi appliquons-nous les principes de la comptabilité dans notre vie personnelle?

Vocabulaire

- **bord** (*m*) edge
- **à bord** on board
- **border** to border
- **au bord de** at the edge, side, shore of
- **aborder** to land, arrive at, start
- **(tout) d'abord** at first, in the first place
- **au premier abord, de prime abord** at first sight
- **déborder** to overflow
- **être débordé** to be overwhelmed, overloaded, rushed

EXEMPLES

1. Les passagers montaient à bord du navire.
2. En France, beaucoup de routes de campagne sont bordées d'arbres.
3. Jean-Paul Dupré préfère passer ses vacances au bord de la Méditerranée, loin du temps pluvieux de Normandie.
4. On n'a pas encore discuté du Plan Comptable Général—abordons cette question importante.
5. D'abord, je veux parler de votre séjour en province; ensuite vous me direz vos plans.
6. M. Charbonnier a remarqué au premier abord qu'il y avait de sérieux problèmes de marketing.
7. La rivière a débordé, provoquant de graves inondations.
8. Pendant la vérification annuelle, on est débordé de travail.

- **train** (*m*) train
- **aller bon train** to go at a good pace
- **en train de** in the middle, act of (doing something)
- **mettre en train** to start
- **train-train** (*m*) routine

EXEMPLES

1. Il va bon train, quand il fait un travail qui l'intéresse.
2. Pendant qu'on préparait les autres comptes, le commissaire aux comptes était en train de vérifier ceux qu'il avait en main.
3. Mme Prunier a mis en train les préparatifs pour la fin de l'année fiscale.
4. Il y a tant d'interruptions et d'événements imprévus dans ce bureau qu'on ne peut guère dire qu'il existe un train-train quotidien.

Et maintenant, testez-vous

Utilisez chacun des mots suivants dans une phrase complète. Cette phrase doit montrer que vous avez bien compris le sens du mot employé.

- aborder
- tout d'abord
- déborder
- être débordé
- aller bon train
- en train de
- mettre en train

LECTURE

La Comptabilité

La comptabilité est la méthode que l'on emploie pour enregistrer les opérations qui affectent le patrimoine de l'entreprise tout au long de son existence. Son rôle est de surveiller les ressources financières, de rendre compte de leur emploi, et plus spécialement de calculer le montant[1] de celles qui sont définitivement acquises ou perdues (résultats).[2] L'importance du gain ou de la perte indique la façon dont l'entreprise a atteint son but.

Le bilan représente la synthèse des comptes. C'est un tableau montrant du côté droit le passif,[3] c'est-à-dire l'origine des ressources mises à la disposition de l'entreprise pour son activité; du côté gauche, l'actif,[4] c'est-à-dire l'utilisation de ces ressources.

Le résultat d'exploitation[5] est déterminé par la différence entre les ressources que l'entreprise a obtenues en fournissant des biens et des services (produits),[6] et les dépenses qu'elle a dû faire pour y arriver (charges).[7]

L'amortissement[8] permet de compenser la dépréciation provoquée par une usure[9] progressive ou par une cause technique, par exemple l'obsolescence. Les dépréciations résultant d'autres causes, par exemple celles qui découlent[10] des lois de l'offre et de la demande,[11/Q] sont compensées au moyen de provisions.[12] Le mécanisme de l'amortissement permet de répartir une charge sur plusieurs exercices. La pratique de l'amortissement a d'importantes répercussions financières. C'est un des moyens d'autofinancement[13/Q] de l'entreprise.

Il est important pour la gestion et pour des raisons fiscales de préciser la part du résultat final qui est attribuable à des opérations courantes et normales (résultat d'exploitation), et la part qui provient d'opérations financières ou exceptionnelles,[14] de façon à faire appa-

[1] **montant** (*m*) amount
[2] **résultat** (*m*) result (i.e., income or deficit)
[3] **passif** (*m*) liabilities
[4] **actif** (*m*) assets
[5] **résultat d'exploitation** operating income or loss
[6] **produit** (*m*) revenue
[7] **charge** (*f*) expense
[8] **amortissement** (*m*) amortization
[9] **usure** (*f*) wear and tear
[10] **découler (de)** to arise (from)
[11] **loi** (*f*) **de l'offre et de la demande** law of supply and demand
[12] **provision** (*f*) allowance
[13] **autofinancement** (*m*) internal financing
[14] **opération** (*f*) **exceptionnelle** non-current operation

raître le résultat net[15] final. Si ce résultat net est un bénéfice, il peut être distribué pour tout ou partie aux actionnaires sous forme de dividende. La partie non répartie reste dans l'entreprise et s'ajoutera aux réserves.

[15] **résultat** (*m*) **net** net result (profit or loss)

Bilan au 31/12/198–
(en milliers de Francs)

Actif		Passif	
IMMOBILISATIONS:[1]		CAPITAUX PROPRES:[11]	
Terrains	20 400	Capital[12]	78 217
Constructions[2] moins amortissements cumulés[3]	23 118	Réserves[13]	13 141
Installations techniques[4] moins amortissements cumulés	19 684	Résultat après répartition[14]	3 789
ACTIF CIRCULANT[5]		DETTES:	
Stock[6] et en cours[7]	102 713	Dettes financières à long terme[15]	3 218
Créances d'exploitation[8] moins provision pour créances douteuses[9]	56 681	Dettes financières à court terme[16]	24 424
Disponibilités[10]	3 075	Dettes d'exploitation[17]	102 882
TOTAL°	225 671	TOTAL°	225 671

° Total de l'actif = total du passif

DOCUMENT 17

[1] **immobilisations** (*f pl*) fixed assets
[2] **constructions** (*f pl*) buildings
[3] **amortissements** (*m pl*) **cumulés** accumulated depreciation
[4] **installations** (*f pl*) **techniques** machinery and equipment
[5] **actif** (*m*) **circulant** current assets
[6] **stock** (*m*) inventory
[7] **en cours** (*m*) work in progress
[8] **créance** (*f*) **d'exploitation** accounts receivable
[9] **provision** (*f*) **pour créance douteuse** allowance for bad debt
[10] **disponibilités** (*f pl*) liquid assets (cash, bank, and marketable securities)
[11] **capitaux** (*m pl*) **propres** stockholders' equity
[12] **capital** (*m*) capital at par
[13] **réserves** (*f pl*) retained earnings
[14] **résultat** (*m*) **après répartition** net income after (taxes and) dividends
[15] **dettes** (*f pl*) **financières à long terme** long-term debts
[16] **dettes financières à court terme** short-term debts (current liabilities)
[17] **dettes d'exploitation** accounts payable

QUELQUES DÉFINITIONS

autofinancement
C'est le financement d'investissements à partir de ressources propres à l'entreprise, sans faire appel au capital extérieur ou à l'emprunt.

la loi de l'offre et de la demande
Si l'offre est supérieure à la demande, lex prix baissent. Inversement, si la demande augmente, les prix montent.

impôt et taxe
Les deux mots sont pratiquement synonymes. C'est l'usage qui en définit l'emploi. Ainsi on dit *impôt sur le revenu*, mais *taxe à la valeur ajoutée (TVA)* (value added tax). (A l'origine on imposait les personnes et on taxait les objets.)

résultat d'exploitation
C'est le bénéfice ou la perte provenant de l'activité normale de l'entreprise (fabrication et vente de produits ou de services).

résultat financier
C'est le surplus ou le déficit provenant d'opérations strictement financières (intérêts versés sur un emprunt, intérêts ou dividendes reçus sur un capital investi).

résultat exceptionnel
C'est le surplus ou le déficit provenant de causes ou d'activités extérieures à la vie courante de l'entreprise, par exemple une dépense pour faire face à un événement exceptionnel, ou un revenu du même type (vente d'un terrain avec plus-value considérable).

QUESTIONS

Répondez en faisant une phrase complète.

1. Qu'est-ce que la comptabilité?
2. Expliquez ce qu'est le bilan. Quelle forme a-t-il?
3. Quel est le rôle du commissaire aux comptes? Qu'est-ce qu'il examine?
4. Que permet la comptabilité analytique?

5. Qu'est-ce que le Plan Comptable Général?
6. Comment peut-on constater une dépréciation due à une usure progressive?
7. Citez d'autres causes de dépréciation.
8. Où se trouve le résultat net final?
9. Que devient le bénéfice?
10. Pourquoi la pratique de l'amortissement a-t-elle d'importantes répercussions financières?

TRADUCTION

Traduisez les phrases suivantes en vous inspirant du vocabulaire et des expressions utilisés dans ce chapitre.

1. How do you keep track of all the operations which affect the business's property?
2. What is the amount of their financial resources?
3. Her desk was loaded with files when we went in.
4. The laws of supply and demand affect depreciation.
5. His responsibilities extend to both general and managerial accounting.
6. The balance sheet is an important document in the annual audit.
7. How do you get the gross income of operations?
8. Does the mechanism of amortization take place in one fiscal year only?
9. We have to figure the cost price of each of our products.
10. The chief accountant is responsible for this entire office.

DOCUMENT 18—VOCABULAIRE

[1] **charge** (*f*) expense
[2] **stocks** (*m pl*) **initiaux** beginning inventory
[3] **matière** (*f*) **première** raw materials
[4] **matières consommables** supplies
[5] **versement** (*m*) payment
[6] **charges** (*f pl*) **de personnel** wages
[7] **dotation** (*f*) allowance
[8] **autres charges d'exploitation** (*f*) miscellaneous operating expenses
[9] **produit** (*m*) revenue
[10] **stocks finaux** final inventory
[11] **total** (*m*) **des produits d'exploitation** total operating income
[12] **charges exceptionnelles** nonoperating expenses
[13] **participation** (*f*) **des salariés** (*m pl*) **aux fruits de l'expansion** (*f*) profit-sharing plan
[14] **solde** (*m*) **créditeur** credit balance
[15] **solde débiteur** debit balance
[16] **résultat** (*m*) **après répartition** net income after distribution (of dividends)

Thème de discussion et de débat

- Le rôle de la comptabilité dans la gestion d'une entreprise et l'importance de la standardisation des procédures (par exemple Plan Comptable en France et *Set of generally accepted accounting principles* aux Etats-Unis).

Compte de résultat (en milliers de Francs)

Charges[1]		Produits[9]	
Stocks initiaux[2]	15 822	Ventes des marchandises	469 497
Achats de matières premières[3] et consommables[4]	208 470	Stocks finaux[10]	11 421
Impôts,Q taxesQ et versements[5] assimilés	95 663	Total des produits d'exploitation[11] (I)	480 918
Charges de personnel[6]	106 614		
Dotation[7] aux amortissements et aux provisions	9 341		
Autres charges d'exploitation[8]	30 658		
Total des charges d'exploitation (II)	466 568		

RÉSULTAT D'EXPLOITATIONQ(III) = (I) − (II) = 14 350

Charges financières (intérêts et autres charges assimilées) (IV)	256	Produits financiers (intérêts et autres produits assimilés) (V)	269

RÉSULTAT FINANCIERQ(VI) = (V) − (IV) = 13

Charges exceptionnelles[12] (VII)	130	Produits exceptionnels (VIII)	325

RÉSULTAT EXCEPTIONNELQ(IX) = (VIII) − (VII) = 195

Participation des salariés aux fruits de l'expansion[13] (X) 1 090

Impôt sur les bénéfices (XI) . . 7 279

RÉSULTAT NET° (XII) = (III) + (VI) + (IX) − (X) − (XI) = 6 189

(Solde créditeur:[14] **bénéfice:** 6 189) (Solde débiteur:[15] **perte**)

Dividendes distribués: 2 400

RÉSULTAT APRÈS RÉPARTITION:[16] 3 789

° Si le résultat était négatif, il apparaîtrait dans la partie droite.

DOCUMENT 18

Exercice de correspondance commerciale

Voici une lettre de rappel de règlement et la réponse du client. Traduisez ces deux lettres.

MESSIEURS,

Nous attirons votre attention sur le fait que vous n'avez pas encore réglé notre facture 8321 B du 9 septembre, malgré deux lettres de rappel de notre part.

Nous nous voyons dans l'obligation d'interrompre l'exécution de votre prochaine commande et nous réservons le droit de recouvrer cette dette par voie de justice, si le paiement n'intervenait pas d'ici huit jours.

Nous vous prions d'agréer, Messieurs, nos sentiments distingués.

MESSIEURS,

Veuillez trouver ci-joint un chèque de 10.560 Francs en règlement de votre facture 8321 B du 9 septembre.

Nos services comptables ont été désorganisés par le départ de deux de nos employés. La mise au courant de leurs successeurs n'a pas été sans problèmes et explique le retard exceptionnel que nous avons mis à répondre à vos rappels.

Je vous demande d'accepter nos excuses en vous assurant qu'un tel incident ne se reproduira plus.

J'espère que vous voudrez bien nous conserver votre confiance comme par le passé et vous prie d'agréer, Messieurs, l'expression de nos sentiments les meilleurs.

CHAPITRE 8

DIALOGUE

Le Conseil d'administration

Paris le 27 décembre. Le conseil d'administration des Biscuiteries Réunies se réunit aujourd'hui au dernier[1] étage d'une des tours de la Défense, sous la présidence de Monsieur Evrard. Deux importants actionnaires, la Compagnie Financière de l'Ouest et la famille Coudray, sont représentés respectivement par Madame Monique Tatin, Directeur Général et par Monsieur Yves Coudray..

M. EVRARD: Mesdames et Messieurs, j'aimerais ouvrir cette réunion en vous faisant des excuses. Je sais que certains d'entre vous ont dû interrompre leurs vacances. Vous savez qu'il nous est toujours difficile de trouver une date qui convienne à tout le monde!

LE SECRÉTAIRE: Monsieur le Président, puis-je intervenir une seconde, pour vous demander d'excuser l'absence de Monsieur Merle. Il vient de téléphoner de l'aéroport de Lille où son avion est bloqué par le brouillard.

M. EVRARD: Il aurait dû prendre le train . . . Je suggère que nous nous mettions immédiatement au travail. Vous avez reçu l'ordre du jour[2] ainsi que le procès-verbal[3] de notre dernier conseil que je soumets à votre approbation. Est-ce que tout le monde est d'accord? Très bien . . . Approuvé . . . Je passe maintenant la parole à notre Directeur Général.

M. FRANÇOIS: Monsieur le Président, Mesdames et Messieurs, je suis heureux de confirmer les prévisons[4] optimistes faites ici même, il y a trois mois. La situation de notre société reste saine.

[1] **dernier** top
[2] **ordre** (*m*) **du jour** agenda
[3] **procès-verbal** (*m*) minutes
[4] **prévision** (*f*) forecast

Mme Tatin: Peut-on déjà avoir une idée assez précise des résultats de l'exercice en cours?[5]

M. François: Sauf accident imprévisible,[6] nous espérons un bénéfice net après impôts de plus de vingt millions de francs.

Mme Tatin: Quelles sont, dans l'état actuel du marché, les perspectives pour l'année prochaine?

M. François: Les économistes estiment que la bataille contre l'inflation sera difficile. Malgré les mesures prises par le gouvernement pour freiner[7] l'augmentation des prix et des salaires, les différents indices[8] resteront médiocres.

Mme Tatin: Cela veut dire que l'indice des prix de détail et de gros continuera de monter, alors que la production industrielle ne croîtra que faiblement.

M. François: C'est malheureusement très vraisemblable.[9]

M. Coudray: En quoi cela affectera-t-il notre société, puisque nos prix augmenteront au même rythme que l'inflation?

M. François: Tôt ou tard l'inflation conduit à une diminution sensible[10] du pouvoir d'achat des consommateurs, ce qui a des répercussions immédiates sur la vente de nos produits.

M. Evrard: C'est la raison pour laquelle nous avons mis à l'étude un plan de développement de cinq ans, qui sera discuté en détail à notre prochain conseil et annoncé officiellement à l'Assemblée Générale des actionnaires.

Mme Tatin: Nous approuvons pleinement votre politique d'expansion basée sur l'exportation, en particulier vers les pays de la Communauté Européenne.[11] Mais elle nécessitera de gros investissements de notre part.

M. Evrard: Vous avez raison, Madame, et des mesures financières appropriées vous seront proposées. Par ailleurs,

[5] **en cours** under way
[6] **imprévisible** unforeseeable
[7] **freiner** to slow down, restrain
[8] **indice** (*m*) index
[9] **vraisemblable** likely
[10] **sensible** noticeable
[11] **Communauté** (*f*) **Economique Européenne** Common Market

nous examinons à l'heure actuelle des possibilités de collaboration—et peut-être même davantage—avec un groupe dont les activités sont complémentaires des nôtres. Je ne peux pas vous en dire plus aujourd'hui.

M. COUDRAY: Mon cher Président, nous comprenons les raisons de votre discrétion. Des révélations prématurées risqueraient de provoquer la spéculation. . .

Le TGV (train à grande vitesse) roule à 260 kilomètres à l'heure. (French Government Tourist Office)

COMPRÉHENSION

Répondez en faisant une phrase complète.

1. Pourquoi M. Evrard fait-il des excuses au début de la réunion?
2. Où est M. Merle?
3. Pourquoi n'assiste-t-il pas à la réunion?
4. Quand a eu lieu le précédent conseil d'administration?
5. A-t-on déjà une idée assez précise des résultats de l'exercice en cours?
6. Les économistes sont-ils optimistes?

7. Qu'arrivera-t-il à l'indice des prix de détail et de gros si l'inflation continue?
8. Sur quoi est basée la politique d'expansion de la société?
9. Qu'est-ce que cela nécessitera?
10. Pourquoi M. Evrard est-il si discret sur les possibilités de collaboration avec un autre groupe?

CONVERSATION

1. Quand vous venez à l'université de chez vos parents, quel moyen de transport employez-vous?
2. Quels sont les avantages et les inconvénients d'un voyage en avion, en train, ou en auto?
3. Est-ce que votre famille possède des actions? De quelle société?
4. Si vous deviez investir en actions, rechercheriez-vous un revenu régulier, sous forme de dividendes, ou une plus-value importante?
5. Quel est l'état actuel du marché? Qu'est-ce qui se passe à la Bourse?
6. Quel est le taux actuel de l'inflation? Est-ce qu'il est supérieur ou inférieur à celui du mois précédent?
7. Donnez un exemple de la diminution de votre pouvoir d'achat.
8. Combien de pays font partie de la Communauté Economique Européenne (CEE)? Enumérez-les.
9. Quel était l'objectif initial de la CEE?

Vocabulaire

- **prévision** (*f*) forecast
- **prévoir** to foresee
- **prévisible** foreseeable
- **prévu** foreseen, scheduled
- **imprévisible** unforeseeable
- **imprévu** unforeseen

EXEMPLES

1. Je suis heureux de confirmer les prévisions optimistes.
2. Il est difficile de prévoir tous les risques quand on lance un nouveau produit.
3. La réaction du public vis-à-vis du produit est souvent imprévisible.

4. Il y a eu des dépenses imprévues au moment de l'ouverture de l'agence à Nantes.
5. Je n'ai rien de prévu entre 15 h et 17 h.

- **sens** (*m*) sense
- **sensible** sensitive; noticeable
- **sensibilité** (*f*) sensitivity
- **raison** (*f*) reason
- **raisonnable** sensible

EXEMPLES

1. Les cinq sens sont le goût, l'odorat, l'ouïe, le toucher et la vue.
2. L'opinion publique est très sensible à l'augmentation des prix.
3. L'inflation conduit à une diminution sensible du pouvoir d'achat.
4. En vieillissant, le patron a perdu la raison.
5. Ne demandez pas trop—soyez raisonnable.

Et maintenant, testez-vous

Utilisez chacun des mots suivants dans une phrase complète. Cette phrase doit montrer que vous avez bien compris le sens du mot employé.

- la prévision
- prévoir
- imprévu
- sensible
- la sensibilité
- raisonnable

LECTURE

Le Pouvoir dans l'entreprise

Le capital d'une société anonyme est divisé en fractions d'un même montant attribuées à chacun en nombre correspondant à son apport.[1] Ces fractions s'appellent actions. Leur montant minimal est de cent francs pour les sociétés créées depuis 1967. Les actions permettent d'agir, puisqu'elles représentent le droit de propriété sur l'actif de la société, donc le droit théorique de participer à sa gestion.

L'actionnaire, à moins qu'il ne soit aussi un des dirigeants, gère par l'intermédiaire de l'assemblée générale convoquée au moins une fois par an. Cette dernière élit le pouvoir exécutif, c'est-à-dire les administrateurs, approuve les comptes et la répartition[2] des bénéfices. Elle donne l'autorisation nécessaire aux actes qui excèdent la compétence du conseil d'administration: augmentation de capital, émission[3] d'obligations,[4] fusion avec une autre société.

Le conseil d'administration se compose au minimum de trois et au maximum de douze administrateurs, qui doivent être eux-mêmes actionnaires de la société. Il se réunit aussi souvent que l'exige l'intérêt de la société. Il ne peut délibérer valablement[5] que si la moitié de ses membres sont présents. Son président est le personnage le plus important de la société, son véritable «chef». Il peut cumuler[6] deux fonctions: président du conseil et directeur général (P.D.G.). Quand ce n'est pas le cas, le directeur général est nommé par le conseil d'administration sur proposition de son président.

Il existe une grande différence entre l'importance théorique des droits de l'actionnaire et sa réalité pratique. Les sociétés comprennent, en fait, deux catégories d'actionnaires. Il y a ceux qui contrôlent la société. La cause de leur participation au capital est leur volonté de gouverner l'entreprise. La seconde catégorie est constituée par tous ceux qui cherchent simplement à tirer un revenu de leurs capitaux. Ils n'ont aucun désir de gouverner l'entreprise. Ce type d'actionnaire, le plus souvent un petit porteur,[7] est totalement impuissant. Il prend rarement la peine d'assister aux assemblées générales. Il se contente de confier son pouvoir à la banque ou

[1] **apport** (*m*) contribution
[2] **répartition** (*f*) distribution
[3] **émission** (*f*) issue
[4] **obligation** (*f*) bond, debenture
[5] **valablement** validity
[6] **cumuler** to hold
[7] **porteur** (*m*) stockholder

à l'agent de change[8] qui gère son portefeuille.[9] Il peut envoyer son pouvoir[10] directement au conseil d'administration, ce qui équivaut à une approbation de la gestion.

[8] **agent** (*m*) **de change** broker
[9] **portefeuille** (*m*) portfolio
[10] **pouvoir** (*m*) proxy

LE POUVOIR DANS L'ENTREPRISE

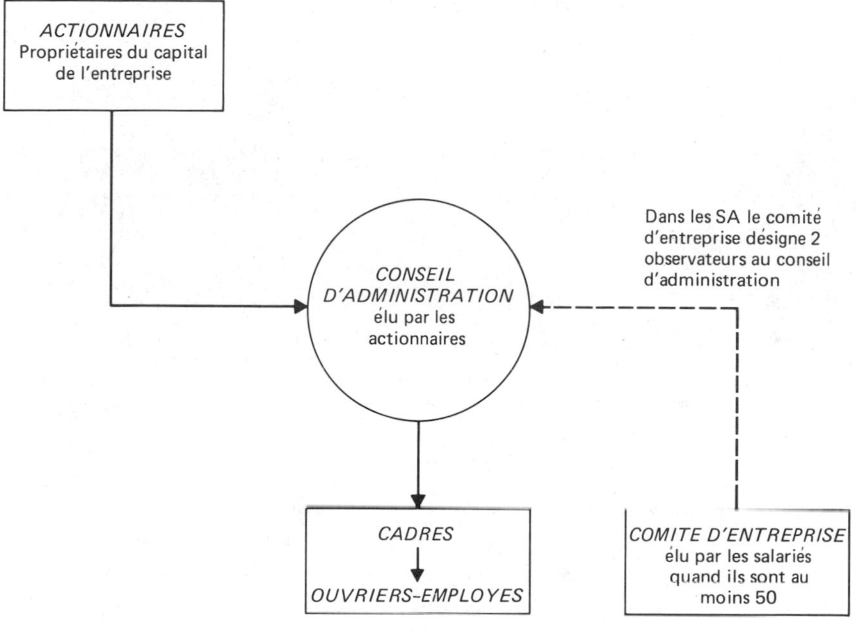

DOCUMENT 19

QUESTIONS

Répondez en faisant une phrase complète.

1. Comment est divisé le capital d'une société anonyme?
2. Quel est le montant minimal des actions des sociétés créées depuis 1967?
3. Par quel intermédiaire l'actionnaire gère-t-il l'entreprise?
4. Que fait l'assemblée générale?
5. Quels sont les actes qui excèdent la compétence du conseil d'administration?
6. De combien d'administrateurs se compose le conseil d'administration?

7. Qu'est-ce que le P.D.G.?
8. Quelles sont les deux catégories d'actionnaires qu'on peut distinguer?
9. Quelle est la différence entre ces deux catégories?
10. Qui gère habituellement le portefeuille du petit porteur?
11. Quelle différence y a-t-il entre un cadre, un employé et un ouvrier?
12. Où réside le pouvoir dans l'entreprise?

LA COMMUNAUTE ECONOMIQUE EUROPEENNE (CEE)

On l'appelle aussi Marché commun. Elle est née avec la signature du Traité de Rome en août 1957. Elle comprend aujourd'hui dix membres. (La Grèce est le dixième membre, depuis le ler janvier 1981.) Depuis juin 1979, elle a son propre parlement élu au suffrage universel qui siège à Strasbourg.

	Millions d'habitants
Allemagne Fédérale + Berlin-Ouest	62
Belgique	10
France	53, 5
Danemark	5
Eire	3
Grande-Bretagne	55, 5
Grèce	9, 2
Italie	54
Luxembourg	0, 4
Pays-Bas	13
	265, 6

DOCUMENT 20

Traduction

Traduisez les phrases suivantes en vous inspirant du vocabulaire et des expressions utilisés dans ce chapitre.

1. You should have sent the agenda last week.
2. Distribution of profits is a responsibility of the elected directors.
3. Economists still don't know how to slow down inflation.
4. Will the general assembly authorize the issue of bonds this year?
5. The Common Market offers an excellent market for our products.
6. What's the minimum price of a share of stock for corporations created since 1967?
7. We'll need someone to be responsible for the minutes of this meeting.
8. What are the two functions the chairman of the board can hold?
9. There has been a noticeable reduction in the purchasing power of our employees since 1975.
10. Why do the board members have to be company stockholders?

Thème de discussion et de débat

- Le pouvoir dans l'entreprise: le mythe et la réalité (rôle des actionnaires, de l'assemblée générale, du conseil d'administration, des banques qui financent certains investissements, etc.).

Exercice de correspondance commerciale

1. Complétez la lettre adressée par Madame Tatin au Président Evrard et la réponse de ce dernier. Utilisez les mot suivants, en les modifiant, comme il convient, pour les adapter à l'une ou l'autre des 2 lettres (accord en genre et en nombre, forme et temps des verbes):

affaire	imprévu
associé	le cas échéant
amical	ordre du jour
assister	prévu
conseil d'administration	procès-verbal

(Dans les deux lettres le style est direct—informer sans perdre de temps en longues phrases. Mais le ton est courtois et amical. Les deux personnes se connaissent et s'estiment.)

Paris, le 14 février 198.

Monsieur Maurice Evrard
Président
Biscuiteries Réunies S.A.

MONSIEUR LE PRÉSIDENT,

Des difficultés ______ avec notre principal ______ américain m'obligent à partir pour New York après-demain. Mon voyage durera au moins 10 jours. Il me sera donc impossible d'______ à la prochaine réunion de notre ______. Vous voudrez bien m'en excuser auprès des autres administrateurs.

Je vous téléphonerai dès mon retour pour m'informer des réactions du conseil aux différents points qui figurent à l'______.

Croyez, Monsieur le Président, à mon amicale considération.

MONIQUE TATIN
Directeur Général
Compagnie Financière de l'Ouest

Paris, le 17 février 198.

Madame Monique Tatin
Directeur Général
Compagnie Financière de l'Ouest

CHÈRE MADAME,

Je suis désolé d'apprendre que vous ne pourrez pas participer à la réunion du conseil ______ pour le 25 de ce mois. Nous regretterons tous votre absence. Votre expérience des ______ et votre sens des relations humaines contribuent beaucoup à la qualité de nos débats.

Vous trouverez ci-joint le ______ de notre dernier conseil. Veuillez me faire savoir si vous en approuvez les termes ou m'indiquer, ______, les modifications que vous désirez y apporter.

Je fais des vœux sincères pour que votre voyage aux Etats-Unis soit couronné de succès et vous prie, chère Madame, d'accepter mes hommages ______.

MAURICE EVRARD
Président
Biscuiteries Réunies S.A.

---

2. *Rédigez le procès-verbal du conseil d'administration du 27 décembre (voir Dialogue). Rappelez les points suivants:*

- lieu de la réunion
- membres présents ou excusés
- approbation du dernier procès-verbal
- résumé des différentes interventions.

CHAPITRE 9

DIALOGUE

Le Lancement

Jean-Paul Dupré travaille depuis trois mois pour les Biscuiteries Réunies comme chef de produit. Aujourd'hui il a rendez-vous avec Madame Marie-Claire Augier, nouvelle responsable des produits de sa gamme à l'agence de publicité[1] *Leroy-Hampton.*

J.P. DUPRÉ: Mes hommages Madame.

MME AUGIER: Bonjour Monsieur. Asseyez-vous, je vous prie.

J.P. DUPRÉ: Vous m'excuserez, Madame, si je vous dis sans détour[2] que je n'imaginais pas rencontrer cet après-midi quelqu'un d'aussi jeune.

MME AUGIER: Dans la publicité, la promotion est plus rapide. On m'a donné ma chance et je l'ai saisie. . . . Avez-vous eu le temps d'examiner le projet de campagne que nous avons préparé pour vous?

J.P. DUPRÉ: Oui, jusque dans[3] les plus petits détails. J'ai quelques remarques et suggestions à faire, mais j'avoue que je manque encore d'expérience pratique dans ce domaine.

MME AUGIER: Ce n'est pas nécessairement un désavantage. Vous avez pu vous rendre compte que le projet couvre l'ensemble de la gamme dont vous êtes responsable.

J.P. DUPRÉ: Oui, mais l'effort principal porte sur[4] notre dernier-né, le Chocosweet.

MME AUGIER: C'est normal pour le lancement d'un nouveau produit.

J.P. DUPRÉ: J'ai vu que vous proposiez de commencer par une campagne d'affichage[5].

[1] **agence** (*f*) **de publicité** (*f*) advertising agency
[2] **sans détour** (*m*) straightforwardly
[3] **jusque dans** down to
[4] **porter sur** to rest, focus on
[5] **affichage** (*m*) putting up posters

MME AUGIER: Avez-vous aimé la maquette[6] de l'affiche préparée par nos dessinateurs?

J.P. DUPRÉ: Oui, énormément. «Un régal[7] pour tous les âges». C'est une cible[8] très large que vous visez[9].

MME AUGIER: Dans un premier temps[10], notre objectif est de susciter[11] le maximum de curiosité et d'intérêt pour le produit lancé.

J.P. DUPRÉ: Si j'ai bien compris, la différenciation des consommateurs potentiels se fera à l'aide de spots publicitaires sur les différentes stations de radio périphériques[12].

MME AUGIER: Chacun s'adressera à une tranche d'âge[13] différente: «Chocosweet pour le goûter[14] des petits».

J.P. DUPRÉ: «A la pause, du tonus[15] pour le sportif. . .»

MME AUGIER: Pour les gens âgés ce sera «La friandise[16] du troisième âge[17]».

J.P. DUPRÉ: Pourquoi attendez-vous la fin de cette première phase pour lancer la publicité télévisée?

MME AUGIER: Nos tests ont prouvé que c'est à ce moment-là qu'elle aurait le plus d'impact.

J.P. DUPRÉ: Et le concours du meilleur slogan?

MME AUGIER: Il doit démarrer[18] en même temps. Nous avons réservé l'espace nécessaire dans les principaux quotidiens nationaux et régionaux. .

[6] **maquette** (*f*) mockup, layout
[7] **régal** (*m*) treat
[8] **cible** (*f*) target
[9] **viser** to aim at
[10] **dans un premier temps** at first
[11] **susciter** to arouse
[12] **station** (*f*) **de radio périphérique** privately owned radio station broadcasting from across the French border in order to bypass the government monopoly on radio and TV, hence the use of the word *périphérique*.
[13] **tranche** (*f*) **d'âge** (*m*) age bracket
[14] **goûter** (*m*) afternoon snack
[15] **tonus** (*m*) energy, vigor, pep
[16] **friandise** (*f*) delicacy, sweet
[17] **le troisième âge** senior citizens
[18] **démarrer** to start

J.P. DUPRÉ: Pour publier le règlement de participation au concours?

MME AUGIER: Oui, ainsi que la liste des prix.[19]

J.P. DUPRÉ: Qu'est-ce qu'on pourra gagner?

MME AUGIER: Pous les premiers, de très beaux voyages, dont un aux Etats-Unis, pour deux personnes; ensuite des appareils ménagers[20] de toutes sortes; et pour les derniers, des disques, des cassettes et des livres.

J.P. DUPRÉ: Et pour tout le monde, en prime, une grande boîte de Chocosweet.

[19] **prix** (*m*) prize
[20] **appareil** (*m*) **ménager** household appliance

COMPRÉHENSION

Répondez en faisant une phrase complète.

1. Qui est Mme Augier?
2. Pourquoi Jean-Paul Dupré est-il surpris en voyant Mme Augier?
3. Jean-Paul a-t-il beaucoup d'expérience dans le domaine de la publicité?
4. Quel est le dernier-né de la gamme des produits chocolatés?
5. Par quoi va commencer la campagne de publicité?
6. A quel public s'adressera le nouveau produit?
7. Comment se fera la différenciation des consommateurs potentiels?
8. Expliquez la méthode de différenciation des spots.
9. Quand sera lancé le concours du meilleur slogan?
10. Que recevront tous les gagnants du concours?

CONVERSATION

1. Que fait une agence de publicité?
2. Citez une campagne ou une publicité que vous trouvez intéressante et dites pourquoi. Quel public vise-t-elle?
3. Comment peut-on se rendre compte de l'efficacité d'une campagne publicitaire?

4. Qu'est-ce que vous aimez manger pour votre goûter?
5. Avez-vous jamais participé à un concours? Auquel, et pourquoi? Qu'est-ce qui a suscité votre intérêt?
6. Qu'est-ce que vous avez gagné?
7. A votre avis, pourquoi ne fait-on pas beaucoup de campagnes d'affichage aux Etats-Unis?
8. A quelle forme de publicité accordez-vous le plus d'attention: à la publicité télévisée ou à la publicité dans les journaux ou dans les magazines? Pour quelles raisons?
9. Est-ce que vous trouvez qu'il y a trop de publicité à la télévision américaine? Est-ce que vous y faites encore attention?

Vocabulaire

- **affiche** (*f*) poster, bill, announcement
- **afficher** to post, put up posters
- **affichage** (*m*) putting up posters

EXEMPLES

1. L'affiche de Chocosweet, conçue par l'agence de publicité Leroy-Hampton, a suscité beaucoup d'attention.
2. On peut lire sur les murs de tous les bâtiments publics "Défense d'afficher."
3. Mme Augier propose de démarrer par une campagne d'affichage.

- **règle** (*f*) rule, ruler
- **réglé** in order
- **règlement** (*m*) system of rules; regulation; payment
- **régler** to put in order; to pay

EXEMPLES

1. Les règles de la politesse sont plus rigoureuses en France qu'aux Etats-Unis.
2. Il y a eu des difficultés au début de la campagne publicitaire, mais maintenant, tout est réglé.
3. On publiera le règlement de participation au concours dans les principaux quotidiens nationaux et régionaux.
4. Je préfère régler l'addition tout de suite.

Et maintenant, testez-vous

Utilisez chacun des mots suivants dans une phrase complète. Cette phrase doit montrer que vous avez bien compris le sens du mot employé.

- l'affiche
- afficher
- l'affichage
- réglé
- le règlement
- régler

L E C T U R E

La Publicité

Qu'elles soient petites ou grandes les entreprises font une place grandissante à la publicité dans leur politique commerciale. Elle est d'abord nécessaire pour porter à la connaissance des consommateurs les nouveaux produits et pour écouler[1] une production généralement en avance sur la demande. Les progrès de la technique et de la science ont mis des moyens d'expression diversifiés à la disposition des annonceurs[2] depuis l'enseigne lumineuse[3] jusqu'à la publicité dans le ciel. Mais ce sont certainement la presse, la radio et la télévision qui disposent du plus fort rayonnement[4].

A l'heure actuelle, la publicité participe par sa créativité non seulement à la conception d'annonces originales et esthétiques destinées à attirer l'attention du consommateur en puissance. Elle est aussi associée à l'élaboration[5] du produit et à sa commercialisation.

Dans le développement d'une stratégie publicitaire, on doit tenir compte d'un facteur important: la disposition[6] du consommateur vis-à-vis d'un produit donné. Les relations publiques ont pour objectif d'entretenir[7] ou de modifier l'image de marque par des méthodes variées telles que le patronage[8] d'événements sportifs ou les actions spectaculaires en faveur de la recherche médicale. L'insistance que met un client à réclamer[9] une marque particulière dépend largement de l'habileté et de la force avec laquelle la publicité et ses auxiliaires ont agi sur sa motivation.

Les pouvoirs publics[10] et les associations de consommateurs disposent maintenant d'un arsenal juridique important pour lutter contre la publicité mensongère et même contre la représentation imparfaite des caractéristiques d'un produit. Une bonne publicité doit être de l'information précise et contrôlée; ce qui ne l'empêche pas d'être intelligemment et agréablement mise en valeur[11].

[1] **écouler** to sell, dispose of

[2] **annonceur** (*m*) advertiser

[3] **enseigne** (*f*) **lumineuse** neon sign

[4] **rayonnement** (*m*) influence

[5] **élaboration** (*f*) development and perfecting

[6] **disposition** (*f*) state of mind, attitude

[7] **entretenir** to maintain, keep up

[8] **patronage** (*m*) sponsoring

[9] **réclamer** to call for

[10] **pouvoirs** (*m pl*) **publics** the administration, public authorities

[11] **mettre en valeur** to enhance, emphasize

On peut contrôler l'efficacité de la publicité par des enquêtes,[12] des questionnaires ou des sondages. Mais le meilleur test réside, en dernier ressort,[13] dans l'attitude de préférence qu'elle provoquera en faveur d'une marque de la part du consommateur.

[12] **enquête** (*f*) survey [13] **en dernier ressort** ultimately

Questions

Répondez en faisant une phrase complète.

1. Où est-ce que la publicité a une place de plus en plus importante?
2. Quel est le rôle principal de la publicité?
3. Par quels moyens d'expression est-ce que la publicité atteint le public le plus large?
4. De quelle manière est-ce que la créativité de la publicité joue un rôle important?
5. Par quelles méthodes est-ce que les relations publiques entretiennent ou modifient l'image de marque d'un produit?
6. Pourquoi est-ce qu'un consommateur choisit une marque particulière?
7. Qui protège les consommateurs contre la publicité mensongère ou imprécise, et comment?
8. Comment peut-on contrôler l'efficacité de la publicité?
9. Quelles sont les différences principales entre les trois chaînes de la télévision française et la télévision américaine?
10. Existe-t-il des stations de radio et de télévision publiques aux Etats-Unis? Comment sont-elles financées?

Traduction

Traduisez les phrases suivantes en vous inspirant du vocabulaire et des expressions utilisés dans ce chapitre.

1. If this campaign is successful, we will buy additional space in weekly magazines.
2. We don't know whether the posters will arouse curiosity in the elderly.
3. The advertising agency will not send the mockup if we don't pay our bill.

TELEVISION ET RADIO

LA TELEVISION

STATIONS NATIONALES, sous le contrôle de l'Etat°

lère chaîne T F 1
2ème chaîne Antenne 2
—*audience nationale; publicité entre les programmes*

3ème chaîne F R 3
—*audience régionale et nationale; pas de publicité*

STATIONS PÉRIPHÉRIQUES (émetteurs à l'extérieur du territoire national); stations privées, financées par la publicité

RTL (Télé Luxembourg)
Télé Monte-Carlo
—*audience régionale (zones frontalières)*

LA RADIO

STATIONS NATIONALES, sous le contrôle de l'Etat°

France-Inter (distraction et information du grand public)
France-Culture (réflexion, création et recherche)
France-Musique (vie musicale)
—*audience nationale; pas de publicité*

STATIONS PÉRIPHÉRIQUES; stations privées, financées par la publicité

RTL (Radio Luxembourg)
Europe 1
RMC (Radio Monte-Carlo)
—*audience nationale*

Sud-Radio
Radio Andorre
—*audience régionale*

° Financement par la redevance, qui est une taxe annuelle payée par les propriétaires de postes de télévision.

DOCUMENT 21

4. The rules for participating in the contest will be published after the poster campaign.
5. If I understand you, you're aiming at a big target.
6. This ad campaign will offer household appliances as prizes for the best slogan.
7. The most expensive product is not necessarily the best.
8. If we knew how advertising acts on customers' motivation, we could develop more effective ads.
9. If the marketing division had had this data last year, it would have aimed at an older group.
10. The boss doesn't know whether everything is in order.

Thème de discussion et de débat

- La publicité: information ou intoxication?

Exercice de correspondance commerciale

1. Complétez la lettre adressée à Jean-Paul Dupré par Madame Augier après leur première rencontre. Utilisez les mots suivants, en les modifiant, comme il convient, pour les adapter au texte (accord en genre et en nombre, forme et temps des verbes):

affichage	parvenir
campagne	périphérique
compte	point
contrat	prévision
gamme	réserver

(Marie-Claire Augier et Jean-Paul Dupré ont, sur le champ, établi des relations professionnelles cordiales. Notez le ton assez formel mais déjà personnalisé.)

Paris, le 19 février 198.

Monsieur Jean-Paul Dupré
Chef de Produit
Direction du Marketing
Biscuiteries Réunies S.A.

CONFIDENTIEL

CHER MONSIEUR,

J'ai été ravie de vous rencontrer la semaine dernière et de pouvoir discuter avec vous des divers aspects de la ______ de promotion et de publicité pour le nouveau produit de votre ______, Chocosweet.

Comme convenu, je vous adresse le projet définitif. J'ai tenu ______ de certaines de vos remarques et suggestions concernant la publicité dans la presse. Nous avons réduit la part réservée à la publicité dans les cinémas pour augmenter celle de l'______ dans les principaux centres commerciaux.

Si vous comparez nos ______ actuelles avec le budget initial, vous verrez qu'il nous reste une somme de 100 000 Francs qui pourra être utilisée à la promotion sur les ______ de vente.

Je vous enverrai au début du mois de mars une estimation plus précise. En attendant, comme nous devons sans retard ______ l'espace publicitaire et signer les ______ avec les stations ______, je vous serais obligée de me faire ______ votre accord sur l'ensemble du plan dès que possible.

Veuillez agréer, cher Monsieur, mes salutations distinguées.

MARIE-CLAIRE AUGIER
Agence Leroy-Hampton

P.J.—Projet de campagne-lancement de produit BRSA

2. *En vous inspirant du Dialogue faites une description détaillée de l'affiche pour Chocosweet.*
3. *Rédigez le script qui servira de base aux spots publicitaires à la radio et à la télévision.*

CHAPITRE 10

DIALOGUE

L'Investissement

Le bureau de Monsieur Simon, Directeur de la succursale[1] *parisienne d'une importante banque française. La décoration est sobre*[2] *mais élégante. Madame Rousseau, Directeur financier des Biscuiteries Réunies, vient d'arriver, un épais dossier sous le bras.*

MME ROUSSEAU: Monsieur le Directeur, ma visite d'aujourd'hui n'est pas une simple affaire de routine.

M. SIMON: Je m'en doutais, chère Madame. Votre secrétaire avait beaucoup insisté au téléphone pour que je vous voie le plus vite possible.

MME ROUSSEAU: Je tenais à[3] vous mettre au courant de projets pour lesquels les conseils et le soutien[4] de votre banque nous seront, comme d'habitude, très pré-cieux.

M. SIMON: Il y a déjà eu des indiscrétions dans la presse financière, vous le savez?

MME ROUSSEAU: Oui, et nous le regrettons beaucoup.

M. SIMON: On a parlé de la construction d'une usine ultramoderne dans le midi de la France.

MME ROUSSEAU: C'est prématuré. Le choix définitif de l'emplacement[5] n'est pas encore fait. Nous hésitons entre le Sud-Ouest, plus précisément la banlieue de Bordeaux, et la région Rhône-Alpes, entre Lyon et Grenoble.

M. SIMON: Est-ce bien le moment? Nos services de prévision économique sont plutôt pessimistes.

[1] **succursale** (*f*) branch
[2] **sobre** discreet
[3] **tenir à** to want to
[4] **soutien** (*m*) support
[5] **emplacement** (*m*) site, location

MME ROUSSEAU: Nous n'avons pas négligé les facteurs défavorables. Nous comptons stimuler la demande intérieure par le lancement de nouveaux produits actuellement à l'étude dans nos laboratoires. Et puis, il y a l'exportation.

M. SIMON: A combien estimez-vous le coût total de l'investissement?

MME ROUSSEAU: A 40 millions de francs.

M. SIMON: Quelle portion sera couverte par l'autofinancement?

MME ROUSSEAU: Nous disposons de 10 millions.

M. SIMON: Et pour le reste?

MME ROUSSEAU: Nous envisageons une augmentation de capital par émission d'actions[Q] nouvelles contre espèces[6] à hauteur de[7] 10 millions.

M. SIMON: Si je comprends bien, vous aurez donc besoin d'un crédit de 20 millions.

MME ROUSSEAU: C'est parfaitement exact.

M. SIMON: La taille de votre société n'est pas suffisante pour lancer un emprunt obligataire.[8/Q] Il vous faut demander un prêt[9] du Crédit National[10]. C'est sans problème puisque votre investissement va contribuer à la création d'emplois.

MME ROUSSEAU: Il correspond aussi à la politique gouvernementale de décentralisation industrielle.

M. SIMON: Notre pays a longtemps souffert d'avoir une tête trop grosse pour un corps trop chétif.[11]

MME ROUSSEAU: Hélas, c'est bien vrai!

[6] **espèces** (*f pl*) cash
[7] **à hauteur de** up to, for a maximum of
[8] **emprunt** (*m*) **obligataire** bond issue
[9] **prêt** (*m*) loan
[10] **Crédit** (*m*) **National** semipublic organization that finances programs of industrial development through long-term loans at favorable interest rates.
[11] **chétif** sickly, weak

M. SIMON: Je transmets tout de suite à notre Direction financière le dossier que vous m'avez apporté.

MME ROUSSEAU: Merci. Un dernier point: mon adjoint viendra vous voir au sujet des crédits à court terme et des conditions de découvert.[12]

M. SIMON: Dites-lui que je l'attends.

MME ROUSSEAU: Bon, c'est tout pour aujourd'hui. Au revoir, cher ami.

M. SIMON: Au revoir, chère Madame, et à bientôt!

[12] **découvert** (*m*) overdraft

QUELQUES DÉFINITIONS

obligation
L'obligation est un titre négociable représentant une partie d'un emprunt à long terme (appelé «emprunt obligataire»). Le détenteur d'une obligation touche régulièrement un intérêt sur le capital investi de cette manière.

action
L'action matérialise les droits de l'actionnaire au capital de la société. L'action est un titre négociable dont la propriété peut être facilement transférée. Le paiement des dividendes s'effectue contre remise d'un coupon.

COMPRÉHENSION

Répondez en faisant une phrase complète.

1. Décrivez la décoration du bureau de M. Simon.
2. Comment M. Simon a-t-il compris que la visite de Mme Rousseau n'était pas une simple affaire de routine?
3. Quelle indiscrétion y a-t-il eu dans la presse financière?
4. L'emplacement de l'usine a-t-il déjà été choisi?
5. Sur quoi comptent les Biscuiteries Réunies pour stimuler la demande?

6. Quel sera le coût total de l'investissement?
7. L'autofinancement couvrira-t-il la totalité de l'investissement?
8. Est-ce que n'importe quelle société peut lancer un emprunt obligataire?
9. Est-ce qu'il sera difficile d'obtenir un prêt du Crédit National?
10. Mme Rousseau discute-t-elle avec M. Simon des crédits à court terme et des conditions de découvert?

Conversation

1. Est-ce que vous avez jamais emprunté de l'argent à une banque? A quel taux d'intérêt?
2. Quel est le taux d'intérêt actuel pour un emprunt à la construction? Pour un emprunt personnel?
3. Est-ce que le taux a augmenté ou baissé récemment?
4. Allez-vous avoir besoin d'emprunter de l'argent? Pour quelle raison?
5. Qu'est-ce qu'une société peut faire afin d'augmenter les fonds disponibles pour le financement d'un projet?
6. Préféreriez-vous investir votre argent en actions ou en obligations?
7. Est-ce qu'il y a une politique gouvernementale de décentralisation industrielle aux Etats-Unis? A cet égard, quelle est la différence principale entre les Etats-Unis et la France?
8. Connaissez-vous d'autres pays aussi centralisés que la France? Quelles sont les raisons historiques de cette centralisation?

Vocabulaire

- **tenir** to hold
- **tenir à** to want to; to be fond of; to result from
- **tenir compte de** to take into account
- **soutenir** to support, uphold
- **soutien** (*m*) support
- **détenir** to be in possession of
- **détention** (*f*) possession, holding; imprisonment
- **détenteur** (*m*) **(de titres)** (stock)holder

EXEMPLES

1. Mme Rousseau tenait son dossier à la main.
2. Je tenais à vous mettre au courant du projet de construction d'une usine ultra-moderne.
3. La réussite de notre plan d'investissement tient à plusieurs causes.
4. La Direction financière a tenu compte des facteurs économiques dans le choix de l'emplacement.
5. La loi soutient les droits du consommateur.
6. Léon est le seul soutien financier de la famille.
7. La Banque de France détient le privilège de l'émission des billets.
8. En France, la détention d'armes est soumise à des règles très strictes.
9. Il a été condamné à deux ans de détention pour chèque sans provision.
10. Pour être membre du conseil d'administration d'une société, il faut être détenteur de titres de cette société.

ET MAINTENANT, TESTEZ-VOUS

Utilisez chacun des mots suivants dans une phrase complète. Cette phrase doit montrer que vous avez bien compris le sens du mot employé.

- tenir à
- tenir compte de
- détenir
- le soutien
- la détention
- le détenteur

L E C T U R E

La Banque

La justification économique de la banque est de faciliter les échanges entre les personnes. C'est pourquoi la banque recherche avec la clientèle particulière et avec les entreprises des relations de plus en plus étroites[1] et personnalisées, afin de leur fournir le plus grand nombre de services.

L'extension du nombre des agences[2] met, pour ainsi dire, la banque à la porte du client. Au chèque ordinaire, qui est toujours le moyen de paiement le plus répandu[3], se sont rajoutés le chèque de voyage[4] et la carte de crédit. Le client peut aussi autoriser le prélèvement[5] direct sur son compte, pour le paiement des notes[6] de téléphone, d'électricité, etc., et pour le remboursement des traites[7]. Les distributeurs de billets[8] permettent maintenant les retraits[9] en dehors des heures d'ouverture[10].

Le banquier intervient aussi de plus en plus activement dans la vie de l'entreprise. En effet, la conduite et le développement d'une entreprise moderne nécessitent des capitaux considérables que l'autofinancement suffit rarement à réunir.

La division instaurée[11] par la législation française entre banques de dépôts[12], banques d'affaires[13] et banques de crédit[14] à long et moyen terme[15] n'a plus aujourd'hui qu'un caractère formel. Un mouvement de concentration tant horizontal que vertical a conduit à la création de véritables constellations bancaires à vocation multiple[16]. Cette concentration a été amplifiée par la formation d'ententes[17] avec de

[1] **étroit** close
[2] **agence** (*f*) branch office
[3] **répandu** widespread
[4] **chèque** (*m*) **de voyage** traveler's check
[5] **prélèvement** (*m*) deduction (The client orders the bank to make payments at fixed dates, by automatically deducting funds from his or her account and transferring them to a creditor's account.)
[6] **note** (*f*) bill
[7] **traite** (*f*) installment (on a loan)
[8] **distributeur** (*m*) **de billets** cash machine
[9] **retrait** (*m*) withdrawal
[10] **heures** (*f pl*) **d'ouverture** business hours
[11] **instauré** founded
[12] **banque** (*f*) **de dépôts** deposit bank
[13] **banque d'affaires** commercial or investment bank
[14] **banque de crédit** credit bank
[15] **à moyen terme** (*m*) (for) medium term (loans)
[16] **à vocation** (*f*) **multiple** multiservice
[17] **entente** (*f*) cooperative arrangement

grands établissements étrangers qui facilitent les activités à l'échelon international.

L'Etat dispose en France de moyens d'intervention plus nombreux que dans la plupart des autres pays occidentaux. Il contrôle, au moins nominalement, le crédit à l'agriculture, à la construction, à l'exportation et l'essentiel des crédits d'équipement pour l'industrie et le commerce. Il le fait par l'intermédiaire[18] d'établissements publics (Caisse des Dépôts et Consignations[19] qui gère[20], entre autres, les fonds collectés par les Caisses d'Epargne[21]) et semi-publics (Crédit Agricole[22], Crédit Foncier[23], Crédit National, Banque Française du Commerce Extérieur[24], etc.). Les trois banques nationalisées, Banque Nationale de Paris, Crédit Lyonnais et Société Générale, sont de loin[25] les plus importantes par la taille.

Enfin, l'Etat assure directement les fonctions de banquier par l'intermédiaire de la Banque de France. Créée en 1800, la Banque de France détient[26] depuis 1803 le privilège de l'émission des billets de banque. Elle veille[27] sur la monnaie[28] et le crédit, et fixe le taux d'escompte[29] en fonction de ses objectifs de politique monétaire.

[18] **par l'intermédiaire** (*m*) **de** through the medium of, by means of

[19] **Caisse** (*f*) **des Dépôts et Consignations** a government-controlled financial institution. It collects and manages various public funds and lends money to local and municipal authorities and to other financial institutions. It is also one of the government's main agents on the monetary market.

[20] **gérer** to direct, manage

[21] **caisse d'épargne** (*f*) savings bank

[22] **Crédit** (*m*) **Agricole** the most important banking institution in France, under government control

[23] **Crédit Foncier** a semipublic financial institution specializing in mortgage loans (*prêts hypothécaires*) and loans to local and municipal authorities

[24] **Banque** (*f*) **Française du Commerce Extérieur** a semipublic financial institution specializing in import and export operations

[25] **de loin** by far

[26] **détenir** to be in possession of

[27] **veiller** to watch over

[28] **monnaie** (*f*) currency

[29] **escompte** (*m*) discount

DOCUMENT 22—VOCABULAIRE

[1] **chèque barré** crossed check

[2] **endossable** endorsable

[3] **tiers** third party

[4] **chéquier** checkbook

[5] **bénéficiaire** payee

[6] **traitement** processing

[7] **mordre** to encroach upon

Payable à...
Ici, sont inscrits le nom et l'adresse de l'agence B.N.P. où vous avez ouvert votre compte.

Payez contre ce chèque
Ici, vous inscrivez la somme en lettres. Les centimes peuvent cependant être inscrits en chiffres.

Important :
- Commencez à écrire la somme dès le début de la ligne.
- Tirez un trait après la somme écrite.
- La somme en lettres doit être identique à la somme en chiffres. En cas de doute, seule la somme en lettres est prise en considération.

Chèque barré : [1]
- Tous vos chèques sont pré-barrés et non endossables.[2] Le bénéficiaire doit obligatoirement le déposer à sa banque et ne peut l'endosser à l'ordre d'un tiers.[3] Cette obligation légale vous offre plus de sécurité en matière de perte ou de vol.
- Toutefois des chéquiers[4] non barrés peuvent vous être délivrés sur demande expresse de votre part et contre règlement d'un droit de timbre de 1 F par chèque qui sera versé au Trésor Public.

B.P.F. :
Bon pour francs
C'est à vous d'indiquer le montant de ce "bon", vous inscrivez, ici, la somme en chiffres, sans oublier de poser la virgule des centimes.
Important : Pour éviter tout risque de falsification de votre chèque :
– Écrivez, de préférence, au stylo bille à encre noire, plus difficile à effacer.
– Ne laissez pas d'espace entre B.P.F. et le premier chiffre de la somme que vous avez à inscrire.
– Tirez un trait après la somme inscrite.

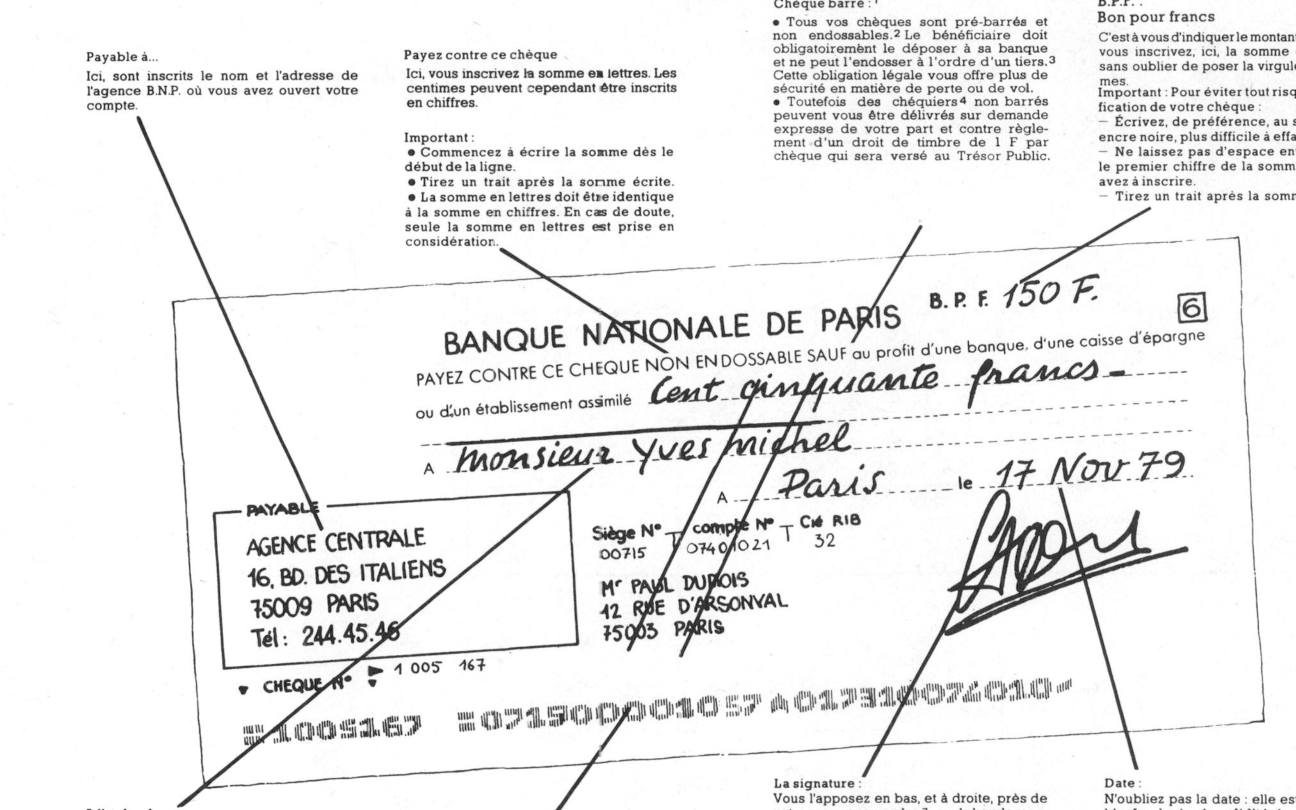

A l'ordre de :
Vous inscrivez ici le nom de celui à qui vous destinez le chèque : c'est le **bénéficiaire**[5]
Le bénéficiaire peut être :
– une personne, une société, un organisme, etc., à qui vous devez de l'argent,
– vous-même, si vous voulez retirer de l'argent en espèces.

La bande magnétique :
La bande magnétique est la bande blanche qui est au bas des chèques. Elle est utilisée par la banque pour le traitement[6] des chèques.
Veillez à ne pas la détériorer et n'écrivez pas dessus.

La signature :
Vous l'apposez en bas, et à droite, près de votre nom, sans mordre[7] sur la bande magnétique.
Signez toujours vos chèques de la même façon ; votre signature doit, en effet, être la même que celle que vous avez déposée à la B.N.P. en ouvrant votre compte. Si votre signature se modifie, pensez à en déposer un nouveau spécimen à votre agence

Attention : ne signez jamais vos chèques à l'avance.

Date :
N'oubliez pas la date : elle est indispensable. La durée de **validité** du chèque bancaire est de 3 ans + 8 jours.

Important : Ne faites jamais de chèques post-datés ou antidatés.
Un chèque, même post-daté peut être touché dès qu'il est émis.
Légalement, votre provision doit être disponible au jour où le chèque est fait.

Source: B.N.P.

DOCUMENT 22

LE SYSTEME BANCAIRE EN FRANCE

ETAT

BANQUE DE FRANCE
- Emission des billets
- Contrôle du marché monétaire et du crédit
- Banque des banques

Secteur privé

- *Banques de dépôts*
  - *Banques nationalisées (3)*
  - *Banques privées*
- *Banques d'affaires*
- *Banques de crédit à long et moyen terme*

Secteur semi-public

- *Crédit Agricole*
- *Crédit Foncier*
- *Crédit Mutuel*
- *Crédit National*
- *Banque Française du Commerce Extérieur*
- *Banques Populaires*

Secteur public

- *Caisse des dépôts et consignations (Caisses d'épargne)*

DOCUMENT 23

Les 10 Premières Banques Françaises en 1978

		Total de l'actif (en millions de francs)	Effectifs
1	**Crédit Agricole**	358 600 000	50 000
2	**Banque Nationale de Paris (BNP)**	325 624 831	48 243
3	**Crédit Lyonnais**	308 382 641	47 740
4	**Société Générale**	278 700 150	43 365
5	**Banque Française du Commerce Extérieur (BFCE)**	116 116 759	2 626
6	Banque de Paris et des Pays-Bas	113 502 000	26 342
7	Crédit Industriel et Commercial (CIC)	96 363 588	23 274
8	**Banques Populaires**	69 432 161	22 563
9	**Crédit Mutuel**	68 834 000	13 100
10	Banque de l'Indochine et de Suez	56 511 652	4 984

en caractères gras: établissements sous le contrôle de l'Etat

DOCUMENT 24

QUESTIONS

Répondez en faisant une phrase complète.

1. Quelle est la justification économique de la banque?
2. Quel est le moyen de paiement le plus répandu? Quels sont les autres moyens?
3. Dans quel but le client peut-il autoriser les prélèvements directs sur son compte bancaire?
4. Qu'est-ce qui permet les retraits en dehors des heures d'ouverture de la banque?
5. Pourquoi est-ce que le banquier intervient de plus en plus activement dans la vie de l'entreprise?
6. Comment l'Etat français contrôle-t-il le crédit?

7. Quelles sont les trois banques nationalisées?
8. Quelle est la première banque française par l'importance de l'actif?
9. Quelle est la plus importante des banques privées françaises?
10. Quel est le rôle de la Banque de France?
11. Est-ce qu'il y a des banques nationalisées aux Etats-Unis?
12. Comment appelle-t-on la personne à qui est destiné un chèque?
13. Quel est le principal avantage d'un chèque pré-barré et non endossable?
14. A quoi sert la bande magnétique au bas des chèques?

TRADUCTION

Traduisez les phrases suivantes en vous inspirant du vocabulaire et des expressions utilisés dans ce chapitre.

1. M. Lorrain always supported a policy of expansion.
2. There was a stockholders' meeting in the chairman's office yesterday.
3. The board figured the total cost of the investment badly.
4. As Director of a new branch, she will rarely have the chance to visit us here.
5. I think we should have bought more traveler's checks yesterday.
6. Mme Butor frequently talked about an increase in capital by offering new shares.
7. It is still the responsibility of the Bank of France to set the discount rate.
8. After increasing the number of its branch offices, this deposit bank rapidly became one of the most important in the region.
9. The beneficiary of a check cannot endorse it to the order of a third party.
10. Internal financing is rarely able to come up with the enormous amount of capital needed for new ventures.

THÈME DE DISCUSSION ET DE DÉBAT

- La banque: moteur principal de l'activité économique (depuis le crédit au particulier jusqu'aux grands projets à l'échelle mondiale)

Exercice de correspondance commerciale

1. Complétez la lettre envoyée à Mme Rousseau par la banque. Utilisez les mots suivants, en les modifiant, comme il convient, pour les adapter au texte (accord en genre et en nombre, forme et temps des verbes):

augmentation	crédit
autofinancement	dossier
bilan	investissement
charger	prêt
direction	résultat

(La lettre contient des informations importantes. Mais il n'y a pas de mots inutiles. Le ton est formel et courtois).

Paris, le 2 avril 198.

Madame Jacqueline Rousseau
Directeur Financier
Biscuiteries Réunies S.A.

MADAME,

J'ai été ______ par notre ______ financière de constituer le ______ pour votre demande de ______ au Crédit National.

Il doit comporter les pièces suivantes:

- une copie des trois derniers ______ accompagnés des comptes de ______ correspondants.
- un rapport détaillé sur le programme général d' ______ indiquant la portion couverte par ______ et par ______ de capital, ainsi que l'emploi du ______ demandé.

Les formalités étant normalement assez longues, je vous serais reconnaissant de m'adresser ces différents documents sans retard.

Avec mes remerciements anticipés, je vous prie d'agréer, Madame, l'assurance de ma considération distinguée.

Michel Imbert
Directeur, Service du crédit
aux entreprises

---

2. *Rédigez le rapport destiné à Monsieur Imbert en décrivant en détail l'objectif de l'investissement:*

- construction d'une usine (emplacement géographique choisi, plan des bâtiments, surface en mètres carrés, hauteur, etc.)
- production envisagée (type de produit, capacité de production journalière, etc.)
- avantages pour l'entreprise (amélioration de la productivité, aptitude à faire face à la demande de nouveaux marchés intérieurs ou extérieurs, etc.)

TEST DE VOCABULAIRE II
Chapitres 1 à 10

1. Toute vente doit donner lieu à l'établissement d'une ______ en double exemplaire. (6)
2. La ______ est un petit magasin d'alimentation en libre service. (6)
3. Le représentant est un salarié de l'entreprise, tandis que le VRP est payé à la ______. (6)
4. La ______ est une réduction habituelle accordée en raison de la qualité de l'acheteur. (5)
5. Seule une ______ ______ peut faire appel à l'épargne publique. (2)
6. Le prix de vente doit être calculé à partir du prix de ______. (7)
7. Dans un bilan, on trouve du côté gauche l'______ et du côté droit le ______. (7)
8. Le ______ ______ est le domicile officiel d'une société. (2)
9. Le mécanisme de l' ______ permet de répartir une charge sur plusieurs exercices. (7)
10. Le bénéfice non distribué peut rester dans l'entreprise sous forme de ______. (7)
11. Un ______ est un intermédiaire qui distribue aux détaillants les produits de plusieurs fabricants. (4)
12. On appelle ______-______ le compte rendu officiel d'une réunion. (8)
13. L'inflation a de sérieuses répercussions sur le pouvoir d'______ des consommateurs. (8)
14. Les ______ d'une société sont élus par l'assemblée générale des actionnaires. (8)
15. Un petit ______ est un actionnaire qui ne possède pas beaucoup d'actions d'une société. (8)
16. Jean-Paul Dupré est responsable d'une ______ de produits. (4)
17. On appelle un message publicitaire de courte durée, à la radio ou à la télévision, un ______. (9)
18. La personne ou l'entreprise qui assume les frais d'une émission publicitaire est l'______. (9)
19. Une campagne va être lancée pour améliorer l'______ de marque de nos produits. (9)
20. Beaucoup d'entreprises utilisent le ______ d'événements sportifs pour promouvoir leurs produits. (9)

21. L investissement le moins coûteux est celui qui est assuré par l'______. (10)
22. L'augmentation de capital a été effectuée par ______ d'actions nouvelles. (10)
23. Le bénéficiaire d'un chèque ______ doit obligatoirement le déposer à sa banque. (10)
24. Le taux d'______ est fixé par la Banque de France. (10)
25. Vous aviez 1 000 Francs à votre compte. Vous avez fait un chèque de 2 000 Francs. Vous avez donc un ______ de 1 000 Francs. (10)

CHAPITRE 11

DIALOGUE

L'Ere de l'ordinateur

Jean-Paul Dupré a commencé à élaborer un plan d'action. Ayant dégagé[1] *plusieurs stratégies possibles, il voudrait les tester, c'est-à-dire les expérimenter*[2] *fictivement sur ordinateur. Il est venu demander à Monsieur Grandchamp, Chef du Service Informatique de l'aider à mettre au point*[3] *cette simulation.*

J.P. DUPRÉ: Je me présente: Jean-Paul Dupré, chef de produit à la Direction du Marketing.

M. GRANDCHAMP: Nous nous sommes déjà rencontrés dans le bureau de Lecompte il y a quelques mois.

J.P. DUPRÉ: Vous avez raison. Excusez-moi. J'étais alors un débutant[4] dans la maison.

M. GRANDCHAMP: Depuis, j'ai souvent entendu parler de vous.

J.P. DUPRÉ: En bien, j'espère.

M. GRANDCHAMP: C'est le moins qu'on puisse dire. On vous décrit comme dynamique, efficace, souriant et surtout désireux d'apprendre vite.

J.P. DUPRÉ: Sur ce dernier point je suis d'accord. J'ai besoin de votre aide pour tester sur un modèle mathématique de marché ce que donnerait une nouvelle politique d'exportation.

M. GRANDCHAMP: Cela ne soulève[5] aucune difficulté. Nous faisons beaucoup de simulation, en particulier pour chercher à améliorer la gestion des stocks[6] en comparant les résultats de différentes politiques

1 **dégager** to evolve, work out
2 **expérimenter** to test
3 **mettre au point** to arrange
4 **débutant** (*m*) beginner
5 **soulever** to cause, raise
6 **gestion** (*f*) **de stock** inventory management

d'approvisionnement[7]. Votre modèle est-il déjà programmé?

J.P. DUPRÉ: Oui, c'est ce qu'on m'a affirmé au département des études. Voici le numéro de code.

M. GRANDCHAMP: Parfait.

J.P. DUPRÉ: En fait, votre service est aujourd'hui le véritable centre nerveux[8] de l'entreprise.

M. GRANDCHAMP: Il y a du vrai dans ce que vous dites. Nos entrepôts, nos usines, nos directions régionales et les différentes directions du siège sont reliés[9] par des terminaux[10] à l'ordinateur central.

J.P. DUPRÉ: J'ai vu le système fonctionner pendant mes déplacements en province. Il suffit d'une simple manipulation pour qu'apparaisse sur l'écran[11] le niveau du stock pour un produit donné.

M. GRANDCHAMP: Et puis vous avez tous les programmes d'application[12], comptabilité, facturation, paie[13].

J.P. DUPRÉ: Si l'ordinateur tombe en panne[14], je ne suis plus payé?

M. GRANDCHAMP: N'ayez aucune inquiétude à ce sujet. Mais examinons votre problème. Avez-vous eu l'occasion de travailler sur ce type de matériel[15]?

J.P. DUPRÉ: Oui, il y a longtemps, pendant un séminaire intensif d'informatique. J'aurai quand même besoin de me rafraîchir la mémoire.

M. GRANDCHAMP: C'est fort à propos! Qui dit ordinateur dit mémoire.

J.P. DUPRÉ: Le jeu de mots[16] était involontaire de ma part.

[7] **approvisionnement** (*m*) supply

[8] **centre** (*m*) **nerveux** nerve center

[9] **relier** to link, hook up, connect

[10] **terminal** (*m*) computer terminal

[11] **écran** (*m*) screen

[12] **programme d'application** (*m*) application program (practical uses of the computer)

[13] **paie** (*f*) payroll

[14] **tomber en panne** to break down

[15] **matériel** (*m*) hardware, equipment

[16] **jeu** (*m*) **de mots** pun

M. GRANDCHAMP: Je plaisantais. Un de mes informaticiens[17] les plus expérimentés[18] va vous prendre en main.

J.P. DUPRÉ: Ça ne sera pas inutile.

M. GRANDCHAMP: Vous pourrez très vite dialoguer avec la machine et essayer toutes les combinaisons possibles sur votre programme.

J.P. DUPRÉ: Je vous remercie de faciliter ainsi ma tâche.

M. GRANDCHAMP: Il n'y a pas de quoi. Nous sommes là pour ça.

[17] **informaticien** (*m*) EDP (Electronic Data Processing) specialist, computer scientist

[18] **expérimenté** experienced

COMPRÉHENSION

Répondez en faisant une phrase complète.

1. Est-ce la première fois que Jean-Paul Dupré et M. Grandchamp se rencontrent?
2. Comment décrit-on Jean-Paul?
3. Pourquoi Jean-Paul est-il venu demander l'aide de M. Grandchamp?
4. Est-ce un travail difficile pour le Service Informatique?
5. De quelle manière peut-on améliorer la gestion des stocks par la simulation?
6. A quoi Jean-Paul compare-t-il le Service Informatique?
7. Est-il difficile de faire apparaître sur l'écran du terminal les informations demandées?
8. A quels autres usages sert l'ordinateur?
9. De quoi Jean-Paul a-t-il peur?
10. Expliquez le jeu de mots involontaire de Jean-Paul.

CONVERSATION

1. Enumérez les différents domaines de la vie quotidienne dans lesquels l'ordinateur joue maintenant un rôle important.
2. Est-ce que vous savez programmer un ordinateur? En quelle «langue?»

3. Quelles sont les applications pratiques de l'ordinateur dans l'entreprise?
4. Est-ce que l'ordinateur possède une véritable intelligence?
5. Quels avantages et quels inconvénients voyez-vous au développement fantastique des ordinateurs?
6. Quelles sont les sociétés qui fabriquent des ordinateurs aux Etats-Unis?
7. Quel type d'environnement exigent les ordinateurs?

Vocabulaire

- **lier** to bind, fasten, join
- **lien** (*m*) tie, bond
- **relier** to link, hook up, connect
- **reliure** (*f*) binding

EXEMPLES

1. Leurs intérêts communs dans le domaine de l'informatique les lient sur le plan professionnel.
2. Il n'y a aucun lien logique entre les deux stratégies proposées.
3. Les différentes directions du siège sont reliées à l'ordinateur.
4. Ce livre a une belle reliure en cuir.

- **expérience** (*f*) experience, experiment
- **expérimenter** to experiment, test
- **expérimenté** experienced
- **éprouver** to experience

EXEMPLES

1. Il a de longues années d'expérience comme chef de produit.
2. Il y a eu une explosion dans le laboratoire au cours de l'expérience.
3. Jean-Paul Dupré veut expérimenter sur ordinateur une nouvelle stratégie de marketing.
4. Un de mes informaticiens les plus expérimentés va vous prendre en main.
5. On ne peut guère parler de la peur sans l'avoir éprouvée soi-même.

Et maintenant, testez-vous

Utilisez chacun des mots suivants dans une phrase complète. Cette phrase doit montrer que vous avez bien compris le sens du mot employé.

- lier
- le lien
- relier
- l'expérience
- expérimenter
- éprouver

LECTURE

l'Informatique

L'informatique est la science du traitement logique et automatique de l'information. Son prodigieux essor[1] n'a réellement commencé qu'avec l'apparition de l'ordinateur. Un ordinateur est une machine programmable permettant d'exécuter de façon précise et extrêmement rapide une suite d'opérations destinées à résoudre un problème à partir de données[2] emmagasinées[3] dans ses unités de mémoire. Cela suppose qu'on ait d'abord réussi à définir la suite des opérations nécessaires, c'est-à-dire les instructions qu'il faut fournir à la machine pour aboutir à la solution. Les instructions sont écrites selon certains langages de programmation[4] et regroupées dans des programmes. Par opposition au matériel[5], l'ensemble des programmes s'appelle logiciel[6]. Les progrès extraordinaires de l'électronique ont donné naissance à des générations d'ordinateurs de plus en plus complexes et, en même temps, de plus en plus miniaturisés, maniables et accessibles grâce à l'élaboration poussée des logiciels et des matériels.

Etroitement associée au développement de toutes les activités de pointe[7] et en particulier de l'industrie nucléaire et spatiale[8], l'informatique est devenue également un outil[9] de base[10] pour la gestion des entreprises et des organisations.

La première étape a consisté à confier à l'ordinateur la résolution de problèmes administratifs et comptables. Mais, à l'heure actuelle, il est fréquemment utilisé dans le processus de prise de décision[11].

Le public a vis-à-vis de l'ordinateur et de l'informatique des réactions émotionnelles et subjectives, dues soit à l'ignorance d'une technologie encore mal comprise, soit à une crainte qui prend des visages multiples: crainte pour les libertés, crainte de la machine qui se substitue à l'homme, crainte de la machine qui risque un jour de tout bloquer.

[1] **essor** (*m*) rise
[2] **données** (*f pl*) data
[3] **emmagasiner** to store
[4] **programmation** (*f*) programming
[5] **matériel** (*m*) hardware
[6] **logiciel** (*m*) software
[7] **de pointe** spearhead, in the vanguard (of progress), highly advanced
[8] **industrie** (*f*) **spatiale** space industry
[9] **outil** (*m*) tool, instrument
[10] **de base** fundamental, basic
[11] **prise** (*f*) **de décision** decision-making

LE SERVICE INFORMATIQUE, CENTRE NERVEUX DE L'ENTREPRISE

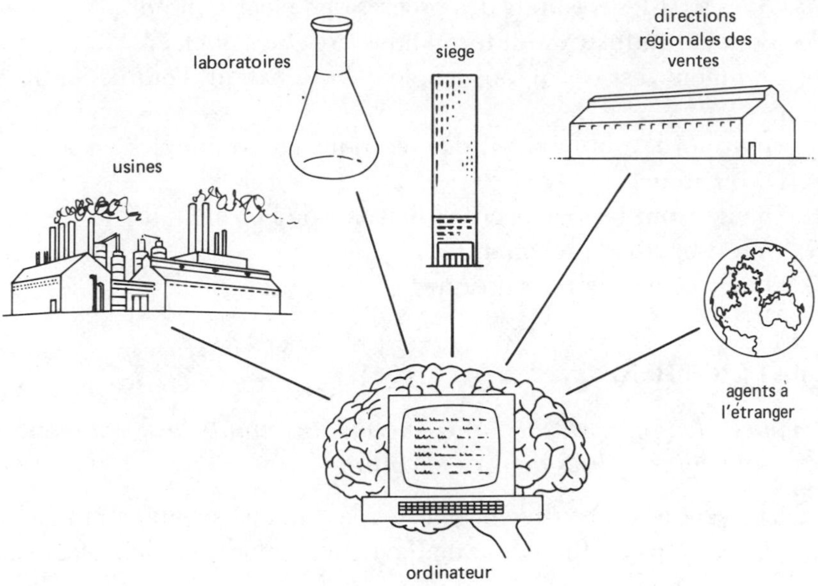

DOCUMENT 25

Les perspectives d'avenir de l'informatique sont encore illimitées. Des mots nouveaux ont dû être créés pour décrire ses applications multiples. La télématique[12] est le produit du mariage entre l'ordinateur et les réseaux[13] de transmission. La bureautique[14] associe l'ordinateur à l'équipement de bureau pour en faire un outil perfectionné d'aide à la gestion.

L'ordinateur s'introduit graduellement dans toutes les activités humaines au niveau des groupes et des individus eux-mêmes. Directement ou indirectement, il est en passe de[15] devenir aussi indispensable dans la vie moderne, professionnelle, privée et sociale que l'électricité, le téléphone ou l'automobile.

[12] **télématique** (*f*) newly coined word describing the applications of the computer to modern communications techniques

[13] **réseau** (*m*) network

[14] **bureautique** computerization of office equipment

[15] **en passe de** in a position to

Questions

Répondez en faisant une phrase complète.

1. Qu'est-ce que l'informatique?
2. Qu'est-ce qui a permis l'essor de l'informatique?

3. Qu'est-ce qu'un ordinateur?
4. Quels sont les résultats des progrès de l'électronique?
5. A quelles industries l'informatique est-elle associée?
6. Comment est-ce qu'on emploie l'ordinateur comme outil de gestion?
7. Pourquoi le public a-t-il des réactions émotionnelles vis-à-vis de l'ordinateur?
8. Quelles sont les perspectives d'avenir de l'ordinateur?
9. Qu'est-ce que la télématique?
10. Qu'est-ce que la bureautique?

Traduction

Traduisez les phrases suivantes en vous inspirant du vocabulaire et des expressions utilisés dans ce chapitre.

1. The product executive has been asked to test several strategies.
2. She will have to use a mathematical model which is already programmed.
3. The computer has become an essential management instrument.
4. Although she is a beginner in the company, she is learning fast and she is already very efficient.
5. Our new boss is trying to improve our supply policy.
6. Thanks to our new system of inventory management, we have reduced cost prices.
7. The information you need will appear on the screen of the terminal.
8. The breakdown in our computer system which occurred last week caused serious delivery problems.
9. Software has become more important than hardware.
10. If correct instructions are given to the machine, it can be used in the decision-making process.

Thème de discussion et de débat

◦ L'ordinateur est-il devenu une menace pour l'individu et la société? Citez les aspects positifs et négatifs de la robotisation grandissante de l'activité humaine. Que pensez-vous de l'intrusion quotidienne dans la vie privée provoquée par le développement des banques de données?

Exercice de correspondance commerciale

Dans une circulaire diffusée à tous les échelons de l'entreprise, Monsieur Grandchamp résume les différentes utilisations de l'informatique, justifiant le rôle de centre nerveux joué par son service.
Rédigez cette circulaire en vous inspirant de quelques-uns des éléments suivants:

- centralisation des commandes et de la facturation
- gestion des stocks
- gestion du personnel et paie
- simulation et prévision
- recherche et développement.

CHAPITRE 12

DIALOGUE
Un Conflit social

Monsieur Blanc, Directeur du personnel, est descendu d'urgence[1] à Poitiers, où un conflit social menace d'éclater[2] dans une des plus importantes usines de la Société. Il discute avec les délégués des deux principaux syndicats représentés. Monsieur Hervé est OS[3] dans une équipe d'entretien[4]. Madame Verduron est contremaître à l'atelier.

M. BLANC: Je suis venu exprès[5] de Paris pour vous écouter.

MME VERDURON: Il est grand temps[6]! Notre préavis[7] de grève[8] expire demain.

M. HERVÉ: Et nos camarades sont prêts à passer à l'action.

M. BLANC: S'il vous plaît, gardons tout notre calme. Une discussion franche vaut mieux qu'un piquet[9] de grève.

MME VERDURON: Il y a des moments où l'on ne peut pas faire autrement.

M. BLANC: Essayez de me résumer vos revendications[10] et indiquez-moi les points sur lesquels la négociation est bloquée.

MME VERDURON: En premier lieu, j'attire une fois de plus l'attention de la Direction sur les mauvaises conditions de travail dans certains ateliers.

[1] **d'urgence** (*f*) right away, without delay
[2] **éclater** break out
[3] **OS** [**ouvrier** (*m*) **spécialisé**] semiskilled worker
[4] **entretien** (*m*) maintenance
[5] **exprès** on purpose, expressly
[6] **il est grand temps** it's high time
[7] **préavis** (*m*) notice
[8] **grève** (*f*) strike
[9] **piquet** (*m*) picket
[10] **revendication** (*f*) demand

M. HERVÉ: Cela a déjà provoqué plusieurs débrayages[11] d'une heure au service entretien.

MME VERDURON: Nous dénonçons aussi depuis longtemps les cadences[12] trop rapides imposées aux ouvrières qui travaillent à la chaîne.

M. BLANC: Vous savez comme moi que la concurrence nous impose des normes élevées de productivité. En compensation le personnel reçoit des primes de rendement[13].

M. HERVÉ: Ce n'est pas une raison pour négliger la sécurité.

M. BLANC: Nous envisageons à long terme une automatisation plus poussée[14] des tâches fatigantes ou ennuyeuses.

MME VERDURON: Est-ce que cela signifie que certains emplois sont menacés?

M. BLANC: Je vous garantis qu'il n'y aura ni suppression[15] ni compression[16]. Tout au plus[17], quelques départs à la retraite[18] ne seront pas compensés.

M. HERVÉ: Ça équivaut[19] en fait à des suppressions.

M. BLANC: C'est un autre problème. Dans la conjoncture[20] actuelle, seule une politique d'expansion permettra d'accroître l'emploi, donc de lutter efficacement contre le chômage[21].

MME VERDURON: Je vous rappelle qu'on nous avait promis, à la dernière réunion du comité d'entreprise, d'étudier les possibilités d'horaire à la carte[22].

[11] **débrayage** (*m*) stoppage, walkout
[12] **cadence** (*f*) pace, rhythm (of work)
[13] **prime** (*f*) **de rendement** incentive bonus
[14] **poussé** extensive
[15] **suppression** (*f*) abolishing, cutting out
[16] **compression** (*f*) reduction
[17] **tout au plus** at the very most
[18] **retraite** (*f*) retirement
[19] **équivaloir** to be equivalent, amount (to)
[20] **conjoncture** (*f*) situation, circumstances
[21] **chômage** (*m*) unemployment
[22] **horaire** (*m*) **à la carte** flexible time or "flextime" (The employees can set, within limits, the time at which they start and finish work.)

M. BLANC: J'apporte un projet à vous soumettre. L'introduction d'un tel système pose beaucoup de problèmes, surtout au niveau de la production.

M. HERVÉ: Il suffirait de quelques postes supplémentaires.

M. BLANC: C'est vite dit!

MME VERDURON: Notre principale revendication concerne le maintien du pouvoir d'achat des travailleurs.

M. BLANC: Nous sommes d'accord là-dessus. L'indice officiel des prix de détail a augmenté de 4,7% en six mois. Nous vous proposons une augmentation de salaire de 5%, avec effet rétroactif à partir du 1er de ce mois.

M. HERVÉ: Notre syndicat a émis[23] des réserves[24] sur la validité de l'indice gouvernemental.

M. BLANC: Il nous faut bien un point de référence.

M. HERVÉ: Et la prime de transport[25] que nous réclamons depuis deux ans?

M. BLANC: J'ai mandat[26] pour faire des contre-propositions.[27]

MME VERDURON: Nous verrons plus tard. Je demande une interruption de séance[28] pour examiner le projet de la Direction Générale et pour consulter la base[29].

[23] **émettre** to express
[24] **réserve** (*f*) reservation
[25] **prime de transport** transportation bonus (to cover cost of transportation to work)
[26] **avoir mandat** (*m*) to have full authority
[27] **contre-proposition** (*f*) counterproposal
[28] **séance** (*f*) session, meeting
[29] **base** (*f*) shop floor

COMPRÉHENSION

Répondez en faisant une phrase complète.

1. Pourquoi le Directeur du personnel est-il descendu d'urgence à Poitiers?
2. De quoi est-ce que Mme Verduron se plaint en premier lieu?
3. Qu'est-ce que cela a déjà provoqué?

4. Comment M. Blanc explique-t-il les cadences imposées aux ouvrières qui travaillent à la chaîne?
5. Quelle est la solution envisagée à long terme?
6. Qu'avait-on promis aux travailleurs à la dernière réunion du comité d'entreprise?
7. Quelle est la principale revendication des syndicats?
8. De combien les prix de détail ont-ils augmenté en six mois, d'après l'indice officiel?
9. M. Hervé est-il d'accord avec ce chiffre?
10. Pour quelle raison est-ce que Mme Verduron demande une interruption de séance?

CONVERSATION

1. Qu'est-ce qu'un conflit social?
2. Quels sont les principaux syndicats aux Etats-Unis?
3. Quelle est la raison principale pour laquelle on fait la grève aux Etats-Unis?
4. Citez des exemples de plusieurs grèves récentes. Quel en a été le dénouement?
5. D'après vous, est-ce que les fonctionnaires et les employés des services publics devraient avoir le droit de grève?
6. Est-ce qu'un membre de votre famille fait partie d'un syndicat?
7. Que font les ouvriers et employés syndiqués pendant une grève?
8. Quelle est la raison d'être des syndicats?
9. Est-ce que vous êtes pour ou contre le syndicalisme? Pourquoi?

Vocabulaire

- **rendre** to give back, return
- **se rendre** to go; to surrender, yield
- **rendement** (*m*) yield, return

EXEMPLES

1. Elle m'a rendu la machine à écrire qu'elle m'avait empruntée.
2. M. Blanc s'est rendu d'urgence à Poitiers pour essayer d'éviter une grève.
3. Les pirates de l'air se sont rendus aux forces de sécurité.

4. La Direction s'est finalement rendue aux revendications des syndicats.
5. La société attend un rendement annuel important de cet investissement, environ 15%.

- **réserve** (*f*) reserve, reservation
- **réservation** (*f*) reservation
- **réserver** to reserve, book

EXEMPLES

1. Il a fait preuve d'une grande réserve pendant toute cette affaire.
2. Les syndicats ont émis des réserves sur la validité de l'indice officiel des prix.
3. Les réserves d'or de la Banque de France ont augmenté pendant le premier semestre.
4. Vous avez une réservation sur le dernier vol à destination de Marseille.
5. Faites-moi réserver une table pour quatre personnes, s'il vous plaît.

Et maintenant, testez-vous

Utilisez chacun des mots suivants dans une phrase complète. Cette phrase doit montrer que vous avez bien compris le sens du mot employé.

- rendre
- se rendre
- la réserve
- réserver

L E C T U R E

Les Syndicats

La Révolution française de 1789 avait, au nom du libéralisme, interdit[1] la création des syndicats. Il faudra attendre un siècle, pour voir légaliser le syndicalisme[2], en 1884 sous la Troisième République. Aujourd'hui, la Constitution garantit le droit de grève aux travailleurs. Le syndicat est devenu un partenaire participant à la vie de l'entreprise et y jouant un rôle que—bon gré mal gré[3]—l'employeur est obligé de lui reconnaître. Son rôle est encore essentiellement consultatif, mais il possède un véritable pouvoir de gestion en ce qui concerne les activités sociales: cantines[4], colonies de vacances, bibliothèques[5], etc.

Un Français seulement sur cinq au travail est syndiqué[6]. Mais ce taux varie beaucoup selon les professions: par exemple 90% chez les typographes ou chez les fonctionnaires[7]. Il existe des syndicats rivaux entre lesquels l'ouvrier, l'employé ou le cadre peut librement choisir.

L'expérience montre que le syndicalisme français, même divisé et minoritaire peut mobiliser les masses sur des problèmes importants comme la défense du pouvoir d'achat. L'action peut aller de la simple manifestation[8] à la grève et jusqu'à l'occupation du lieu de travail. Chaque année pour la fête du Travail, qui est célébrée le ler mai, les syndicats organisent de grands défilés[9] populaires à Paris et dans les principales villes de province.

- La Confédération Générale du Travail (CGT) est la plus ancienne organisation, et la plus puissante par le nombre. Depuis 1946 elle est dominée par les Communistes.
- Vient ensuite la Confédération Francaise Démocratique du Travail (CFDT) créée en 1964 et qui s'inspire[10] d'un socialisme humaniste.
- La CGT-Force Ouvrière (FO) est née d'une scission[11] avec la CGT en 1947. FO lui reprochait de n'être que la façade syndicale du parti communiste. FO est un syndicat réformiste.

[1] **interdire** to forbid
[2] **syndicalisme** (*m*) labor unionism
[3] **bon gré mal gré** whether we like it or not
[4] **cantine** (*f*) company cafeteria
[5] **bibliothèque** (*f*) lending library
[6] **syndiqué** unionized
[7] **fonctionnaire** (*m*) civil servant, government employee
[8] **manifestation** (*f*) demonstration
[9] **défilé** (*m*) parade
[10] **s'inspirer** to derive inspiration
[11] **scission** (*f*) division, break, split

LES PRINCIPAUX SYNDICATS

	Effectifs en 1978
CGT Confédération Générale du Travail	2 300 000
CFDT Confédération Française Démocratique du Travail	1 115 000
FO Force Ouvrière	1 000 000
FEN Fédération de l'Education Nationale	550 000
CGC Confédération Générale des Cadres	328 000
CFTC Confédération Française des Travailleurs Chrétiens	250 000

DOCUMENT 26

- Enfin la Confédération Française des Travailleurs Chrétiens (CFTC). Son nom indique sa fidélité aux principes[12] de la morale chrétienne dans sa vision sociale du monde.
- La Fédération de l'Education Nationale (FEN) et la Confédération Générale des Cadres (CGC) contrairement aux quatre organisations précédentes, qui ont une vocation universelle, ne défendent que les intérêts d'une catégorie de personnel, les fonctionnaires de l'Education Nationale et les cadres.

On assiste[13] depuis quelques années à une certaine décentralisation de l'action syndicale dans le secteur privé. Les grandes négociations par profession sont moins importantes qu'auparavant. Beaucoup de problèmes—salaires, retraites, conditions de travail—se traitent[14] au

[12] **principe** (*m*) principle
[13] **assister** to witness
[14] **se traiter** to be dealt with

niveau de l'entreprise et non de la convention collective[15] qui concerne toute la profession.

Très faiblement implantés dans les petites entreprises de moins de cent salariés, les syndicats sont présents dans les deux mille entreprises de plus de cinq cents salariés. Ils tentent maintenant de couvrir la totalité des dix mille entreprises de plus de cent salariés. Ils ont trois moyens pour y parvenir[16]: les élections des délégués du personnel, du comité d'entreprise et la mise en place[17] d'une section syndicale[18].

15 **convention** (*f*) **collective** collective agreement
16 **pour y parvenir** of achieving it
17 **mise** (*f*) **en place** setting up
18 **section** (*f*) **syndicale** (company) branch of a union, local

Questions

Répondez en faisant une phrase complète.

1. Pourquoi avait-on interdit les syndicats en 1789?
2. Quand a-t-on légalisé le syndicalisme?
3. Qu'est-ce que l'employeur est obligé de reconnaître aujourd'hui?
4. Quel est le pourcentage des Français syndiqués?
5. Que font les syndicats pour la fête du Travail?
6. Quels sont les principaux syndicats en France?
7. Quelle est la différence entre la FEN, la CGC et les autres?
8. Combien d'entreprises y a-t-il en France qui ont plus de 500 salariés?
9. Combien d'entreprises y a-t-il en France qui ont plus de 100 salariés?
10. Quels sont les moyens à la disposition des syndicats pour couvrir la totalité des entreprises?

Traduction

Traduisez les phrases suivantes en vous inspirant du vocabulaire et des expressions utilisés dans ce chapitre.

1. In order to resolve this conflict, we will have to discuss the issue of the transportation bonus.
2. We intend to go on strike in the near future.
3. The supervisor left without telling Mme Verduron.

4. Although our previous notice expires tomorrow, we are going to continue the talks.
5. Try to develop an atmosphere of confidence with the union.
6. Over 90% of government employees are union members.
7 There was a period of 95 years before unions were legalized in 1884.
8. Buying power is an important issue for workers.
9. Before answering questions, he wanted to study union demands.
10. He's bringing a new project for us to consider.

Thème de discussion et de débat

- Quel rôle doivent jouer les syndicats dans la société actuelle? Comparez les systèmes français et américain.

Exercice de correspondance commerciale

A son retour de Poitiers, Monsieur Blanc a trouvé sur son bureau une courte lettre dont voici le texte:

Mon cher Directeur,

Je souhaiterais que, dès votre retour, vous me transmettiez un rapport circonstancié sur les principales étapes de la négociation que vous avez conduite avec les représentants du personnel de notre usine de Poitiers.

Les membres du conseil d'administration ont exprimé le désir d'en être informés le plus rapidement possible.

Veuillez croire, mon cher Directeur, à mes sentiments bien amicaux.

André François
Directeur Général

Sous forme de lettre adressée par le Directeur du Personnel au Directeur Général (ton formel pour un supérieur hiérarchique), vous ferez le récit du voyage de Monsieur Blanc à Poitiers.

CHAPITRE 13

DIALOGUE

On n'arrête pas le progrès

La négociation entre les syndicats et la Direction Générale a abouti à un compromis acceptable par tous. Les mois ont passé. . . . Nous retrouvons Jean-Paul Dupré dans le hall[1] d'un petit immeuble de verre et d'acier[2] qui se dresse[3] au milieu d'un grand parc dans la banlieue ouest de Paris. Il est en conversation avec Monsieur Perrier, Directeur de la Recherche et du Développement.

J. P. DUPRÉ: Vous avez ici des installations[4] très fonctionnelles et qui, sur le plan esthétique, s'intègrent bien au décor, malgré leur modernisme.

M. PERRIER: C'est vrai que les gens aiment travailler chez nous.

J. P. DUPRÉ: Vous êtes entouré de verdure[5]. Il n'y a ni pollution ni problèmes de stationnement[6] pour votre personnel.

M. PERRIER: Nous disposons d'une remarquable équipe de chercheurs[7] jeunes et enthousiastes. Elle s'est renforcée[8] au fur et à mesure[9] de la croissance de la Société.

J. P. DUPRÉ: La recherche et le développement ont une action directe sur la valeur potentielle d'une entreprise. Je suis bien placé pour le savoir. Le dernier-né de ma gamme connaît un grand succès.

M. PERRIER: Oui, en examinant le détail du chiffre d'affaires de la Société pour le premier semestre, j'ai vu avec satisfaction que les ventes de produits chocolatés s'étaient redressées[10] de manière spectaculaire.

[1] **hall** (*m*) lobby
[2] **acier** (*m*) steel
[3] **se dresser** to stand, rise
[4] **installation** (*f*) (physical) plant
[5] **verdure** (*f*) greenery
[6] **stationnement** (*m*) parking
[7] **chercheur** (*m*) researcher
[8] **se renforcer** to grow stronger
[9] **au fur et à mesure** along with
[10] **se redresser** to recover

J. P. DUPRÉ: Vous y êtes pour quelque chose[11]!

M. PERRIER: Notre règle est de toujours travailler en étroite collaboration avec la Direction du Marketing. On ne peut se contenter d'une réussite[12] technique. La réussite commerciale est la seule qui détermine le profit final.

J. P. DUPRÉ: Nos études de marché orientent-elles vos recherches dans certaines directions?

M. PERRIER: Naturellement! Par ailleurs nous vous demandons de tester des produits entièrement nouveaux pour lesquels il nous est utile de connaître les réactions du public.

J. P. DUPRÉ: Voilà un bon exemple d'interaction.

M. PERRIER: Par l'intermédiaire des directions régionales nous recevons des informations facilement exploitables[13], surtout dans le domaine du conditionnement et de l'emballage.

J. P. DUPRÉ: Après tout, ce sont les représentants qui sont le plus près de la clientèle.

M. PERRIER: Sans aucun doute.

J. P. DUPRÉ: Une fois lancé un produit, vous désintéressez-vous[14] des problèmes de fabrication?

M. PERRIER: Mais pas du tout! Nous sommes en relation permanente avec les usines. Les ingénieurs de fabrication passent beaucoup de temps dans nos murs, et nos chercheurs vont dans les usines pour effectuer des essais et des contrôles.

J. P. DUPRÉ: Si je comprends bien, à peine un produit est-il lancé que vous pensez déjà aux améliorations possibles.

M. PERRIER: Oui, et pas seulement à l'amélioration du produit lui-même mais aussi à l'amélioration des techniques de fabrication pour une plus grande productivité.

[11] **vous y êtes pour quelque chose** you contributed to it
[12] **réussite** (*f*) success
[13] **exploitable** usable
[14] **se désintéresser (de)** to lose interest (in)

J. P. DUPRÉ: Oh! Je m'aperçois[15] qu'il est déjà midi et demi.

M. PERRIER: C'est l'heure du déjeuner. Je vous emmène dans un petit bistrot pas loin d'ici.

[15] **s'apercevoir** to see, notice

COMPRÉHENSION

Répondez en faisant une phrase complète.

1. Où retrouvons-nous Jean-Paul Dupré dans ce chapitre?
2. Avec qui est-il en conversation?
3. Que pense Jean-Paul des installations?
4. D'après vous, pourquoi les gens aiment-ils travailler dans les services de M. Perrier?
5. Quelle est l'opinion de M. Perrier sur son équipe de chercheurs?
6. Cette équipe a-t-elle diminué?
7. Qu'est-ce que M. Perrier a remarqué en examinant le détail du chiffre d'affaires pour le premier semestre?
8. Est-ce que M. Perrier considère qu'on peut se contenter d'une réussite technique?
9. De qui les services de M. Perrier reçoivent-ils des informations facilement exploitables?
10. Pourquoi les chercheurs vont-ils dans les usines?

CONVERSATION

1. Qu'est-ce que vous admirez dans un nouvel immeuble? Citez trois nouveaux immeubles qui vous plaisent et expliquez pourquoi.
2. Quelle influence l'environnement peut-il avoir sur le travail des individus?
3. Pourquoi est-ce que la recherche et le développement doivent travailler en collaboration étroite avec le marketing?
4. De quelle manière peut-on connaître les réactions des consommateurs?
5. Pour quelles raisons le conditionnement et l'emballage sont-ils si importants dans l'industrie alimentaire?
6. Quelles doivent être les relations entre les chercheurs et les ingénieurs de fabrication?
7. Pourquoi cherche-t-on constamment à améliorer la productivité?

Vocabulaire

- **dresser** to erect; to draw up; to train
- **se dresser** to stand, rise
- **dressage** (*m*) training
- **redresser** to straighten out
- **se redresser** to straighten out; to recover

EXEMPLES

1. Ils ont dressé une grande tente sur la pelouse pour fêter le lancement du nouveau produit.
2. L'architecte a dressé les plans de la nouvelle usine.
3. Il faut dresser un chien pour la chasse.
4. L'immeuble se dresse au milieu d'un parc dans la banlieue de Paris.
5. Le dressage des chevaux exige beaucoup de patience.
6. Le travail remarquable des chercheurs a largement contribué à redresser la situation financière de l'entreprise.
7. Les ventes de produits chocolatés s'étaient redressées de manière spectaculaire.

- **mener** to lead
- **amener** to bring (a person)
- **emmener** to take (a person)
- **meneur** (*m*) leader, ringleader

EXEMPLES

1. La route qui mène au succès commercial passe presque toujours par la recherche.
2. Quand vous viendrez visiter nos laboratoires, amenez un de vos ingénieurs de fabrication.
3. Le Directeur vous emmènera dans un excellent petit bistrot pas loin d'ici.
4. Le contremaître a toutes les qualités d'un vrai meneur d'hommes.
5. Quelques meneurs ont cherché à provoquer une contre-manifestation.

Et maintenant, testez-vous

Utilisez chacun des mots suivants dans une phrase complète. Cette phrase doit montrer que vous avez bien compris le sens du mot employé.

- dresser
- redresser
- se redresser
- mener
- amener
- emmener

LECTURE

Recherche et développement

L'entreprise n'est plus une entité isolée et indépendante du contexte économique. Elle doit à tout instant tenir compte[1] des contraintes du monde extérieur et de ses mutations politiques, sociales, démographiques et surtout scientifiques et technologiques. En effet l'une des caractéristiques du monde contemporain est la rapidité avec laquelle l'environnement évolue[2]. Le progrès technique est lié au développement de la recherche.

Cette recherche, aujourd'hui, n'est concevable qu'en équipe. Elle représente un élément du patrimoine de l'entreprise industrielle moderne. A long terme, aucune industrie ne peut croître ou même survivre si elle n'investit pas des fonds dans la recherche. Après la recherche vient l'innovation qui est l'application à grande échelle[3] des résultats obtenus par les chercheurs. On passe alors du prototype à la production de masse.

L'innovation peut porter soit sur un produit nouveau, soit sur le perfectionnement ou l'amélioration d'un produit existant, soit sur une réduction des coûts par une meilleure utilisation des facteurs de production. Le développement de la télévision illustre bien ces trois aspects successifs: d'abord produit nouveau en noir et blanc; puis produit amélioré en couleur; enfin, produit moins cher et plus fiable[4] grâce à la diminution du prix de revient et au perfectionnement technique incessant.

Une firme n'a pas toujours la dimension financière nécessaire pour mener un effort continu de mise en place de l'innovation. Les technologies de pointe comportent des risques, même pour les entreprises qui ont la taille nationale ou internationale.

L'Etat intervient alors en fournissant les capitaux et les subventions[5] nécessaires. Il apporte son aide aux industries travaillant directement ou indirectement pour la défense nationale. Il finance aussi l'innovation génératrice d'emplois nouveaux dans des secteurs touchés par la crise.

[1] **tenir compte** to take into account
[2] **évoluer** to change
[3] **à grande échelle** on a large scale
[4] **fiable** reliable
[5] **subvention** (*f*) subsidy

Il ne faut jamais perdre de vue le fait que la recherche est le domaine de l'incertain. Quelles que soient les précautions prises au départ d'un projet de recherche et de développement, il se produit toujours un certain nombre d'événements difficilement prévisibles. Il y a des cas où en définitive[6] l'achat de brevets[7] est plus rentable[8] que la poursuite de la recherche.

[6] **en définitive** (*f*) finally, after all

[7] **brevet** (*m*) patent

[8] **rentable** profitable

Questions

Répondez en faisant une phrase complète.

1. De quoi est-ce que l'entreprise doit tenir compte?
2. Quelle est l'une des caractéristiques principales du monde contemporain?
3. Comment conçoit-on la recherche aujourd'hui?
4. Qu'est-ce que la recherche représente?
5. Qu'est-ce qui vient après la recherche?
6. Sur quoi est-ce que l'innovation peut porter?
7. Qu'est-ce qui comporte des risques?
8. Comment est-ce que l'Etat intervient?
9. Pourquoi l'innovation a-t-elle de l'importance dans les secteurs en crise?
10. Pourquoi est-ce que la recherche est le domaine de l'incertain?

Traduction

Traduisez les phrases suivantes en vous inspirant du vocabulaire et des expressions utilisés dans ce chapitre.

1. Commercial success is the only one which determines final profit.
2. The chairman told the board of directors that total sales for the first semester had recovered in a spectacular manner.
3. Product improvement is one of the main goals of research and development.
4. Biscuiteries Réunies are erecting a new building with modern labs in the suburbs of Paris.
5. The director of sales will bring one or two sales representatives to discuss the problems of packaging with the researchers.

6. Sales representatives are the people who are closest to the customers.
7. Scarcely had we finished the project when the director asked us to start on another one.
8. No firm can grow or survive without investing in research.
9. The state provides capital and subsidies to companies working for national defense.
10. Innovation in the field of highly advanced technology involves certain risks, even for the big firms.

THÉME DE DISCUSSION ET DE DÉBAT

- Illustrez à l'aide d'exemples concrets les liens étroits qui existent entre le progrès scientifique, technique et économique et le développement de la recherche (conquête spatiale, découvertes de la médecine moderne, amélioration du cadre de vie, etc.).

Exercice de correspondance commerciale

Dans un rapport destiné à la Direction générale, Monsieur Perrier, Directeur de la Recherche et du Développement, traite des points suivants:

- activités de son équipe de chercheurs, produits sur le point d'être commercialisés ou en cours d'étude
- progrès de la technologie dans le domaine alimentaire (conservation, amélioration de la qualité, etc.)
- importance de la communication à l'intérieur de l'entreprise
  - (a) informer le personnel de vente et de marketing en l'amenant régulièrement à l'usine ou au laboratoire
  - (b) sensibiliser les gens de la technique (fabrication ou recherche) aux préoccupations de la clientèle, telles qu'elles sont perçues par le personnel de vente.

Vous rédigerez ce rapport.

CHAPITRE 14

DIALOGUE

Un Mariage de raison[1]

La cabine de première classe d'un Airbus[2] d'Air France. Monsieur Evrard, Président du conseil d'administration des Biscuiteries Réunies voyage en compagnie de Madame Martinez, PDG de Provence Alimentaire. Monsieur Evrard rentre de Nice. Il vient de visiter les deux usines de Provence Alimentaire, une société implantée dans le Sud Est, moyenne par la taille, mais très dynamique.

M. EVRARD: Nous avons réussi à décoller[3] à l'heure.

MME MARTINEZ: Il y avait pourtant beaucoup de passagers. L'avion doit être presque plein.

M. EVRARD: J'ai été très impressionné, chère Madame, par ma visite.

MME MARTINEZ: Merci! Le contraire m'aurait étonnée. J'avoue que nous sommes tous fiers de notre succès.

M. EVRARD: A juste titre[4]. Je suis persuadé que notre conseil d'administration approuvera pleinement la signature de notre protocole d'accord[5].

(On entend la voix du Commandant de bord)

Mesdames et Messieurs, nous volons maintenant à l'altitude de 8 000 mètres. Vous pouvez apercevoir le Mont Blanc à droite de l'appareil[6].

MME MARTINEZ: Résumons, si vous le voulez bien, les étapes[7] succes-

[1] **mariage** (*m*) **de raison** marriage, union of convenience
[2] **Airbus** (*m*) wide-bodied passenger jet
[3] **décoller** to take off
[4] **à juste titre** and rightly so
[5] **protocole** (*m*) **d'accord** procedural agreement
[6] **appareil** (*m*) airplane
[7] **étape** (*f*) stage

sives de notre rapprochement[8]. D'abord un accord de coopération.

M. EVRARD: Les «fiançailles»[9]!

MME MARTINEZ: J'aime beaucoup cette expression que vous avez employée ce matin devant nos principaux actionnaires et notre banquier.

M. EVRARD: Il est important de parvenir[10] à une unité de décision.

MME MARTINEZ: Nos deux équipes apprendront à travailler en commun à tous les niveaux, recherche, fabrication et commercialisation.

M. EVRARD: Ça ne posera aucun problème. Nos activités ne sont pas concurrentielles[11] mais largement complémentaires.

(L'hôtesse de l'air s'approche, une bouteille à la main)

Puis-je vous servir encore un peu de champagne?

MME MARTINEZ: Plus pour moi, merci.

M. EVRARD: Moi, je vais me laisser encore tenter[12]!

MME MARTINEZ: Nous sommes bien placés sur les marchés méditerranéens. Par contre, nous n'avons pratiquement rien en Europe du Nord—où votre position est excellente.

M. EVRARD: Nos deux sociétés ont fait séparément des débuts prometteurs[13] aux Etats-Unis et au Japon. La conjugaison[14] de nos efforts sera bénéfique[15].

MME MARTINEZ: La deuxième étape, la fusion[16]—ou le «mariage»—sera alors plus facile.

M. EVRARD: J'ai déjà demandé à Monsieur François, à Madame

[8] **rapprochement** (*m*) link-up
[9] **fiançailles** (*f pl*) engagement
[10] **parvenir (à)** to reach
[11] **concurrentiel** competitive
[12] **tenter** to tempt
[13] **prometteur** promising
[14] **conjugaison** (*f*) combination, alliance
[15] **bénéfique** beneficial
[16] **fusion** (*f*) consolidation, merger

Rousseau et à un représentant de notre banque d'étudier avec vous et vos proches collaborateurs les modalités[17] financières et juridiques de la fusion.

MME MARTINEZ: Il conviendra[18] de tenir compte de l'image de nos sociétés auprès des[19] consommateurs pour déterminer la dénomination sociale du nouvel ensemble.

M. EVRARD: Le traité de fusion officialisera l'évaluation des ressources apportées par chacune des sociétés et fixera la répartition des actions de la nouvelle société née de la fusion.

MME MARTINEZ: Pensez-vous qu'il vous sera difficile d'obtenir l'approbation de vos actionnaires en assemblée générale?

M. EVRARD: Certainement pas, si nous avons fait la preuve, entre-temps, de l'efficacité et de la rentabilité de notre alliance.

(On entend la voix de l'hôtesse de l'air)

Mesdames et Messieurs, nous allons atterrir[20] dans quelques instants à l'aéroport de Roissy-Charles de Gaulle. Veuillez attacher vos ceintures, redresser le dossier de votre siège et éteindre vos cigarettes. Merci.

MME MARTINEZ: On dirait qu'il fait beau à Paris.

M. EVRARD: Vous apportez dans vos bagages le soleil de la Côte d'Azur!

[17] **modalité** (*f*) clause, form
[18] **convenir** to be appropriate, fitting
[19] **auprès de** with
[20] **atterrir** to land

COMPRÉHENSION

Répondez en faisant une phrase complète.

1. En compagnie de qui voyage M. Evrard?
2. Quel est le nom de la société que dirige Mme Martinez?
3. Est-ce que l'avion a du retard?
4. Que pense M. Evrard de sa visite?

5. A quelle altitude vole l'avion?
6. Quelle montagne aperçoit-on à droite de l'appareil?
7. Quelle expression M. Evrard emploie-t-il pour décrire la première étape du rapprochement entre les deux sociétés?
8. Selon M. Evrard, qu'est-ce qui est important pour les deux sociétés?
9. Les activités des deux sociétés sont-elles concurrentielles?
10. Quelle est la position de Provence Alimentaire sur les marchés méditerranéens?
11. De quoi faudra-t-il tenir compte pour déterminer la dénomination sociale du nouvel ensemble né de la fusion?
12. Sera-t-il difficile d'obtenir l'approbation des actionnaires en assemblée générale?

CONVERSATION

1. Quand vous prenez l'avion, est-ce que vous voyagez en première classe?
2. D'habitude, qui voyage en première classe?
3. Décrivez les différences dans le service selon les classes.
4. Quand vous voyagez par avion, qu'appréciez-vous le plus: le respect des horaires, le confort ou la qualité du service?
5. Où se trouve l'aéroport principal de votre région? Est-ce qu'il est bien desservi?
6. Pour quelles raisons deux sociétés peuvent-elles avoir intérêt à fusionner?
7. Aux Etats-Unis, les fusions sont soumises à une surveillance très stricte. Expliquez pourquoi.
8. Quels sont les avantages et les inconvénients d'une fusion?

Vocabulaire

- **colle** (*f*) glue
- **coller** to glue, stick
- **décoller** to unstick, unglue; to take off

EXEMPLES

1. La colle est devenue un produit industriel important.

2. Il a fallu coller des centaines d'affiches pendant la dernière campagne publicitaire.
3. Pour récupérer le timbre-poste sur l'enveloppe, décollez-le à la vapeur.
4. L'avion avait décollé à 17 h 15 de l'aéroport de Nice.

- **voler** to fly; to steal, rob
- **vol** (*m*) flight; theft, robbery
- **voleur** (*m*) thief

EXEMPLES

1. Nous volons à l'altitude de 8 000 mètres.
2. On lui a volé son passeport avec tous ses chèques de voyage.
3. Le vol de Paris à Nice ne dure qu'une heure et demie.
4. Dans le vol de la supérette, on a pris 1 500 francs en billets.
5. Le voleur a été arrêté après une enquête rapide.

ET MAINTENANT, TESTEZ-VOUS

Utilisez chacun des mots suivants dans une phrase complète. Cette phrase doit montrer que vous avez bien compris le sens du mot employé.

- coller
- décoller
- voler
- le voleur

L E C T U R E

Les Concentrations

On parle de concentration quand il y a tendance à l'accroissement de la dimension des entreprises. La concentration est en général le résultat de la concurrence qui anime l'économie de marché. Elle est liée à la recherche d'une amélioration de la rentabilité par la diminution des coûts. Ceci conduit naturellement à augmenter la capacité de production pour obtenir des gains de productivité. Il y a, d'autre part, corrélation évidente entre la baisse des coûts et l'élargissement[1] des parts de marché[2].

Le processus de concentration est variable selon la situation des entreprises et le secteur auquel elles appartiennent:

- Les *alliances*[3] permettent de combler[4] une lacune[5] par des accords de licence ou de commercialisation.
- Les *ententes* évitent les luttes destructives. On se met d'accord pour se spécialiser ou pour coordonner les investissements.
- Par les *acquisitions*[6] de firmes; on obtient immédiatement de nouvelles capacités de production, une technologie et ses brevets, un personnel formé, un réseau de distribution et sa clientèle.

Il y a enfin les opérations de *fusion* ou d'*absorption*[7]. Elles se présentent sous des formes diverses. Une société déjà constituée en absorbe une autre, qui disparaît. Une société se crée pour en absorber deux ou plusieurs autres qui fusionnent. Une société éclate[8] pour être absorbée par une ou plusieurs autres. Une plus grande dimension, surtout lorsqu'elle s'accompagne d'une diversification suffisante, donne à l'entreprise le moyen d'accroître sa capacité financière, de mieux répartir[9] ses risques et de minimiser les conséquences des crises. Dans un certain nombre de cas l'absorption ou la fusion est le moyen d'éviter la faillite[10] pure et simple.

Il n'y a jamais de mariage d'amour en matière économique. Mais il peut y avoir des mariages de raison à condition qu'ils soient préparés et négociés en évitant les pièges[11] et les erreurs. La

[1] **élargissement** (*m*) extension, widening
[2] **part** (*f*) **de marché** market share
[3] **alliance** (*f*) union
[4] **combler** to fill in
[5] **lacune** (*f*) gap
[6] **acquisition** (*f*) purchase
[7] **absorption** (*f*) merger
[8] **éclater** to be dissolved, break up
[9] **répartir** to divide
[10] **faillite** (*f*) bankruptcy
[11] **piège** (*m*) trap

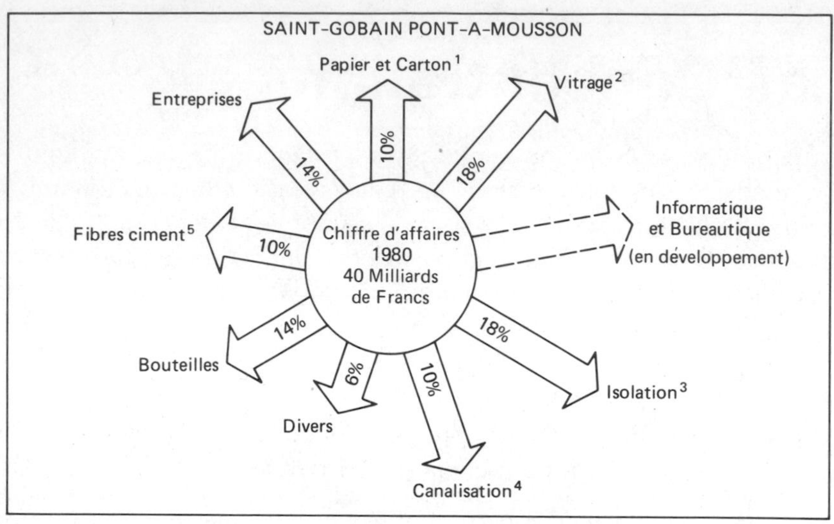

DOCUMENT 27

[1] **carton** (*m*) cardboard
[2] **vitrage** (*m*) plate glass
[3] **isolation** (*f*) insulation
[4] **canalisation** (*f*) pipes
[5] **fibres ciment** (*m*) fibrous cement

recherche du partenaire doit tenir compte des compatibilités ou des complémentarités existantes. La question essentielle demeure celle de la réorganisation du nouvel ensemble. Elle entraîne[12] inévitablement des choix et des changements aussi bien pour les employés que pour les activités. En outre il existe une dimension optimale. Si on la dépasse on augmente le danger de bureaucratisation.

Le mouvement de concentration tend à dépasser les frontières nationales favorisant le développement de sociétés multinationales. Ces multinationales sont parfois des conglomérats aux activités diversifiées, sans rapport[13] les unes avec les autres du point de vue industriel ou commercial. La constitution des conglomérats s'est le plus souvent effectuée par la multiplication des offres publiques d'achats (OPA)[14].

Les gouvernements peuvent être amenés à freiner ou à limiter les concentrations quand elles s'accompagnent de tendances au monopole. D'où, l'existence de législations antitrusts appliquées d'ailleurs avec plus ou moins de conviction et d'efficacité.

[12] **entraîner** to entail
[13] **rapport** (*m*) connection, relationship
[14] **offre** (*f*) **publique d'achat (OPA)** takeover bid

LA CONCENTRATION INDUSTRIELLE

En France, comme dans tous les pays développés, la taille des entreprises a considérablement augmenté depuis 1950.

- En 1950 il y avait 47 000 entreprises de plus de 5 salariés.
  245 de ces entreprises employaient déjà 40% des effectifs et réalisaient plus de 45% du chiffre d'affaires de l'industrie.

- Aujourd'hui, pour une population active de 21 millions, il y a plus de 2 millions 200 000 fonctionnaires;
  1 million 500 000 salariés des entreprises publiques;
  6 millions d'employés travaillant dans les grands groupes privés (de plus de 2 000 salariés).
  C'est-à-dire que plus d'un Français ou d'une Française sur 3 travaille pour une organisation anonyme. Les autres sont éparpillés dans de toutes petites entreprises agricoles, commerciales ou industrielles.

La France est devenue bipolaire: un monde concentré et organisé face à un monde fragmenté et artisanal.

DOCUMENT 28

QUESTIONS

Répondez en faisant une phrase complète.

1. De quoi la concentration est-elle le résultat?
2. A quoi est-ce que la concentration est liée?
3. A quoi ceci conduit-il?
4. Quel est l'avantage d'une alliance?
5. Qu'est-ce que les ententes permettent d'éviter?
6. Qu'est-ce qu'on obtient par une acquisition?
7. Sous quelles formes se présentent les opérations de fusion ou d'absorption?
8. De quoi la recherche du partenaire doit-elle tenir compte?
9. Quelle est la question essentielle dans le nouvel ensemble?

10. Dans quelles circonstances les gouvernements cherchent-ils à freiner ou à limiter les concentrations?
11. Quelles sont les activités de Saint-Gobain Pont-à-Mousson qui ont rapport direct avec l'industrie de la construction?
12. Que peut-on constater en France comme dans tous les pays développés à propos de la taille des entreprises?
13. Combien y a-t-il de fonctionnaires en France?
14. Quelle est aujourd'hui l'importance de la population active en France?

TRADUCTION

Traduisez les phrases suivantes en vous inspirant du vocabulaire et des expressions utilisés dans ce chapitre.

1. When the flight finally took off, it was too late to get to the meeting on time.
2. The company with which we were merging is of medium size but it already has an excellent position in Japan.
3. The two research teams will have to learn how to work in common at all levels.
4. The representative from the bank was very much impressed by the chairman's speech.
5. Although their activities are not competitive, each company wants to keep its new products a secret.
6. The merger they proposed to the stockholders will be discussed next month.
7. A cooperative arrangement entails endless negotiations.
8. We haven't gotten to a stage where talks are possible.
9. Meanwhile, it is appropriate to take into account the financial resources available.
10. They have certainly demonstrated the efficiency and profitability of their union.

THÈME DE DISCUSSION ET DE DÉBAT

- Les sociétés multinationales: les aspects positifs qu'elles présentent (rationalisation des investissements, économies d'échelle, etc.), et les menaces qu'elles peuvent faire peser sur la souveraineté des états.

Exercice de correspondance commerciale

Lettre d'information aux actionnaires des Biscuiteries Réunies S.A. et de Provence Alimentaire S.A. Elle est signée conjointement par Monsieur Evrard et par Madame Martinez et concerne le projet de fusion.

Vous rédigerez cette lettre en expliquant:

- les raisons de la fusion et ses objectifs économiques
- la constitution de la nouvelle société (proposez un nom)
- les modalités techniques (répartition du capital de la nouvelle société qui tienne compte de la taille et des apports respectifs des deux sociétés:

  1 action pour 2 des Biscuiteries Réunies
  1 action pour 3 de Provence Alimentaire).

Vous exprimerez

- l'espoir que les actionnaires des deux sociétés approuveront ce projet
- votre confiance dans l'avenir de la nouvelle société, compte tenu de son potentiel humain et technologique.

CHAPITRE 15

DIALOGUE
La Promotion

Quelques mois plus tard. . . .
Monsieur François a demandé à Jean-Paul Dupré de venir dans son bureau pour lui annoncer une nouvelle importante.

M. FRANÇOIS: Mon cher Dupré, vous avez peut-être deviné[1] pourquoi je vous ai fait venir.

J.P. DUPRÉ: Non, pas exactement, Monsieur le Directeur. J'espère que tout va bien.

M. FRANÇOIS: Bien sûr. J'ai suivi de près votre travail comme chef de produit. Les résultats que vous avez obtenus sont remarquables.

J.P. DUPRÉ: C'est en réalité le travail de toute une équipe, et pas seulement le mien.

M. FRANÇOIS: Votre modestie vous honore[2]. C'est justement votre aptitude à animer une équipe en stimulant l'esprit d'initiative de chacun qui a attiré mon attention.

J.P. DUPRÉ: J'ai essayé de faire de mon mieux.

M. FRANÇOIS: Vous savez que notre fusion prochaine avec Provence Alimentaire nous impose une certaine réorganisation.

J.P. DUPRÉ: Je me suis déjà mis en rapport[3] avec leur service de marketing au cours d'une visite d'information dans le midi.

M. FRANÇOIS: Je suis au courant.

J.P. DUPRÉ: Rien ne vous échappe[4]!

[1] **deviner** to guess
[2] **honorer** to do credit (to)
[3] **se mettre en rapport** to get in touch
[4] **rien ne vous échappe** you *do* notice everything

M. FRANÇOIS: Le rôle du Directeur Général est de se tenir informé. Vous n'ignorez pas que l'exportation est un des objectifs prioritaires de notre stratégie à long terme.

J.P. DUPRÉ: J'en suis pleinement conscient, et je suis enchanté de cette orientation.

M. FRANÇOIS: Il est essentiel d'officialiser ceci au niveau des structures de l'entreprise. Dans un premier temps nous voulons créer un poste de responsable des exportations[5]. Comment envisageriez-vous ce rôle?

J.P. DUPRÉ: D'une part mieux coordonner nos efforts actuels dans le domaine international. D'autre part élaborer un plan à mettre en œuvre[6] après la fusion: il tiendrait compte de la complémentarité avec Provence Alimentaire.

M. FRANÇOIS: Vous voyez maintenant où je veux en venir[7]?

J.P. DUPRÉ: Je crois que je commence à comprendre.

M. FRANÇOIS: Nous allons vous confier cette délicate responsabilité. Vous serez désormais rattaché à[8] la direction générale.

J.P. DUPRÉ: Je suis sensible à la confiance dont vous m'honorez.

M. FRANÇOIS: Il faudra vous entourer d'hommes et de femmes formés à cette activité ou susceptibles[9] d'apprendre rapidement sur le tas [10].

J.P. DUPRÉ: La pratique du commerce international exige le goût du dialogue et l'esprit d'initiative.

M. FRANÇOIS: En collaboration avec les gens de Provence Alimentaire vous préparerez de la documentation en plusieurs langues, des notices techniques et du matériel publicitaire adaptés aux nouveaux marchés.

J.P. DUPRÉ: C'est indispensable pour se faire connaître des distributeurs potentiels et du grand public.

[5] **responsable** (*m* ou *f*) **des exportations** export manager
[6] **mettre en œuvre** to implement
[7] **où je veux en venir** what I'm driving at
[8] **être rattaché à** to be under the authority of, depend on
[9] **susceptible (de)** likely (to)
[10] **sur le tas** on the job

M. FRANÇOIS: Vous allez beaucoup voyager, mais cette fois-ci à l'étranger pour prendre contact avec [11] nos agents et nos filiales[12] de distribution en Allemagne et en Scandinavie.

J.P. DUPRÉ: J'ai établi des relations amicales avec plusieurs de nos agents rencontrés à l'occasion de séminaires[13].

M. FRANÇOIS: Tant mieux. Votre tâche en sera facilitée. Madame Martinez souhaite que vous en profitiez[14] pour faire une tournée de leurs agences.

J.P. DUPRÉ: Ça me sera très utile.

M. FRANÇOIS: Ce n'est un secret pour personne que nous envisageons dans un deuxième temps[15], une fois terminée la fusion, de créer une unité de production à l'étranger.

J.P. DUPRÉ: Cela rendrait plus facile la diffusion de nos produits sur des marchés peu accessibles à cause des barrières douanières[16].

M. FRANÇOIS: Le franchisage[17] est aussi une possibilité à explorer.

J.P. DUPRÉ: Ce type d'opération est moins coûteux, puisque le franchisé[18] en partage les frais avec le franchiseur[19].

M. FRANÇOIS: Je vois que vous avez réfléchi à ces problèmes.

J.P. DUPRÉ: Oui, dans le cadre du plan d'action élaboré pour ma gamme de produits.

M. FRANÇOIS: Tout ça est excellent. Etes-vous libre demain soir?

J.P. DUPRÉ: Oui Monsieur, je n'ai rien de prévu.

M. FRANÇOIS: Très bien. Alors réservez-moi votre soirée. J'ai invité Madame Martinez à dîner.

J.P. DUPRÉ: Merci. J'aurai plaisir à faire la connaissance du PDG de Provence Alimentaire.

[11] **prendre contact avec** to get in touch with
[12] **filiale** (*f*) subsidiary
[13] **séminaire** (*m*) (company) seminar
[14] **profiter de** to take advantage of
[15] **dans un deuxième temps** as a second step
[16] **douanier** customs
[17] **franchisage** (*m*) franchising
[18] **franchisé** (*m*) franchisee
[19] **franchiseur** (*m*) franchiser

M. FRANÇOIS: J'ai déja retenu[20] une table à la Tour d'Argent[21].

J.P. DUPRÉ: Il paraît[22] que la vue sur Notre-Dame est unique.

M. FRANÇOIS: Magnifique! Nous nous retrouverons[23] là-bas à 21 h. A demain, mon cher Dupré.

J.P. DUPRÉ: Au revoir, Monsieur le Directeur. A demain.

[20] **retenir** to reserve

[21] **la Tour d'Argent** three-star restaurant commanding a superb view of the Seine

[22] **il paraît** I'm told

[23] **se retrouver** to meet

COMPRÉHENSION

Répondez en faisant une phrase complète.

1. Pourquoi le Directeur Général a-t-il demandé à Jean-Paul Dupré de venir dans son bureau?
2. Que pense M. François des résultats obtenus par Jean-Paul?
3. Quelle qualité de Jean-Paul a attiré l'attention de M. François?
4. Quand Jean-Paul s'est-il mis en rapport avec le service de marketing de Provence Alimentaire?
5. Quel est, selon M. François, le rôle du Directeur Général?
6. Quel est le poste que veut créer M. François?
7. A qui va-t-il le confier?
8. A quelle direction sera rattaché le responsable des exportations?
9. Quelles sont les deux qualités essentielles à la pratique du commerce international?
10. Quel sera le premier travail de Jean-Paul, en collaboration avec les gens de Provence Alimentaire?
11. Pourquoi Jean-Paul doit-il aller en Allemagne et en Scandinavie?
12. Quel avantage y aurait-il à créer une filiale de production à l'étranger?
13. Pourquoi le franchisage est-il une opération moins coûteuse que la construction d'une unité de production?
14. Avec qui Jean-Paul est-il invité à dîner?
15. Où M. François emmène-t-il dîner ses invités?

CONVERSATION

1. Comment expliquez-vous l'importance grandissante des exportations dans les économies occidentales?

2. Pourquoi est-ce que le marketing devient très complexe au niveau multinational?
3. Citez trois sociétés multinationales. Quelles sont leurs activités?
4. Quels sont pour une entreprise les avantages et les inconvénients de l'expansion internationale?
5. Quels sont les problèmes posés à une entreprise exportatrice par l'existence de barrières douanières?
6. Expliquez le système du franchisage.
7. Donnez trois exemples de franchisage aux Etats-Unis.

Vocabulaire

- **se tenir** to keep
- **tenir compte de** to take into account
- **contenir** to hold, contain
- **maintenir** to maintain
- **maintien** (*m*) maintenance, preservation; bearing, attitude

EXEMPLES

1. Le rôle du Directeur Général est de se tenir informé.
2. Il faut tenir compte des pertes sur les investissements à l'étranger.
3. On envisage de lancer un nouveau modèle de voiture utilitaire qui contiendra six passagers.
4. Je maintiens qu'il a tort d'envisager cette fusion.
5. Son maintien modeste n'est qu'une apparence. Il est très ambitieux.
6. La police est responsable du maintien de l'ordre.

- **œuvre** (*f*) work, working
- **chef-d'œuvre** (*m*) masterpiece
- **main d'œuvre** (*f*) labor
- **mettre en œuvre** to use, put to use; to implement
- **désœuvré** idle, without work
- **(se) mettre à l'ouvrage** to get to work

EXEMPLES

1. La Tour Eiffel est l'une des œuvres architecturales les plus célèbres du XIXe siècle.

2. Le plan d'action proposé par le nouveau responsable des exportations est un véritable chef-d'œuvre.
3. Est-ce que l'introduction de l'ordinateur entraîne une réduction de la main d'œuvre?
4. Je veux élaborer un plan à mettre en œuvre après la fusion.
5. Elle ne peut pas rester désœuvrée dans un bureau. Elle a besoin de contact avec la clientèle.
6. Il s'est remis à l'ouvrage dès qu'il a reçu la commande de nouveau matériel.

ET MAINTENANT, TESTEZ-VOUS

Utilisez chacune des expressions suivantes dans une phrase complète. Cette phrase doit montrer que vous avez bien compris le sens de l'expression employée.

- se tenir
- tenir compte de
- maintenir
- main d'œuvre
- mettre en œuvre
- (se) mettre à l'ouvrage

LECTURE

Le Commerce international

La France est forcée d'assurer par ses exportations le paiement[1] de son énergie et de nombreuses matières premières[2] essentielles au bon fonctionnement de son économie. Elle est aujourd'hui le 3e pays exportateur du monde, derrière les Etats-Unis et l'Allemagne, et devant le Japon et la Grande-Bretagne. Plus de la moitié de son commerce extérieur s'effectue avec les autres pays de la Communauté Economique Européenne (CEE). On dit que la balance commerciale[3] est équilibrée quand le montant total des importations correspond à celui des exportations; sinon elle est excédentaire[4] ou déficitaire[5].

Ce qui compte pour les finances extérieures d'un pays, ce n'est pas uniquement sa balance commerciale mais aussi la balance de ses paiements qui tient compte des importations et des exportations «invisibles» telles que le tourisme, les investissements à l'étranger, les rentrées[6] de capitaux. Les échanges extérieures ont un effet déterminant sur l'inflation, la valeur de la monnaie, l'emploi (près de 10 millions de Français vivent directement ou indirectement de l'exportation, soit plus de 2 travailleurs sur 5) donc finalement sur le niveau de vie de la nation.

Pour les mêmes raisons, l'exportation est presque devenue une obligation pour les entreprises qui veulent se développer ou survivre. La rivalité[7] permanente avec les entreprises étrangères—condamnées elles-mêmes à exporter—est un facteur d'amélioration de la productivité et de la qualité. Néanmoins, l'exportation pose des problèmes qui tiennent d'abord à la diversité des cas envisageables. L'expression «développement international» recouvre[8] en effet un large éventail[9] de possibilités allant de l'exportation de produits de grande consommation jusqu'aux transferts de technologie (contrats d'ingénierie[10], livraisons d'usines clé en main.)

La mise en œuvre d'une politique d'exportation exige du temps et

[1] **assurer (le paiement)** to meet (the cost)
[2] **matière** (*f*) **première** raw material
[3] **balance** (*f*) **commerciale** balance of trade
[4] **excédentaire** in the black, showing a surplus
[5] **déficitaire** in the red, showing a deficit
[6] **rentrée** (*f*) inflow
[7] **rivalité** (*f*) rivalry
[8] **recouvrir** to cover, include
[9] **éventail** (*m*) spectrum
[10] **ingénierie** (*f*) engineering

de la patience. Une entreprise ne devient pas internationale du jour au lendemain[11]. Il faut rechercher les débouchés[12] les plus appropriés, faire connaître son produit. Il y a aussi les problèmes techniques soulevés[13] par la rédaction[14] des contrats, le choix des financements, l'organisation de l'expédition[15] que l'on peut confier à un transitaire[16] et toutes les questions d'assurance[17]. Il est indispensable de s'informer sur les réglementations[18] douanières (formalités à remplir, contingents[19] à respecter[20], droits de douane à payer). S'adapter aux mœurs et aux coutumes locales représente pour l'exportateur un défi[21] constant. Il est souvent difficile de comprendre le comportement[22] d'un consommateur conditionné par une culture différente, surtout si l'on ne connaît pas la langue du pays.

En règle générale l'implantation[23] à l'étranger commence par un intermédiaire indépendant: l'agent. Lorsque la pénétration du marché est bonne et que le potentiel de développement existe, la deuxième phase consiste à créer une filiale de vente. On peut enfin envisager de produire sur place[24] par cession[25] de licence, par franchisage ou même par la création d'une unité de production. La fabrication à l'étranger évite déjà tous les frais de transport. Elle permet parfois un coût de main d'œuvre[26] plus bas donc une diminution des prix de revient. Il y a des cas où cette méthode est la seule possible pour s'implanter[27]: les pays dont les frontières sont partiellement ou totalement fermées aux produits étrangers.

Deux préoccupations pour l'exportateur sont le choix du financement et le choix d'une monnaie. Le système du crédit documentaire est sans doute le plus courant. Il a deux avantages—la certitude et la rapidité du paiement. La banque de l'exportateur le paie sur remise[28] de documents qu'elle adresse ensuite à la banque de l'importateur qui la crédite. Ces documents comprennent: des

[11] **du jour au lendemain** overnight
[12] **débouché** (*m*) outlet, market
[13] **soulever** to raise
[14] **rédaction** (*f*) writing, wording
[15] **expédition** (*f*) shipping, forwarding
[16] **transitaire** (*m*) forwarding agent
[17] **assurance** (*f*) insurance
[18] **réglementation** (*f*) regulation
[19] **contingent** (*m*) quota
[20] **respecter** to abide (by)
[21] **défi** (*m*) challenge
[22] **comportement** (*m*) behavior
[23] **implantation** (*f*) setting up, establishing operations
[24] **sur place** on the spot
[25] **cession** (*f*) transfer, sale
[26] **main d'œuvre** (*f*) labor
[27] **s'implanter** to establish oneself
[28] **remise** (*f*) presentation

factures décrivant avec précision la marchandise; un connaissement[29] indiquant que les produits ont été embarqués[30] en bon état[31] et qu'un contrat de transport a été signé; et un certificat d'assurance. Selon les pays peuvent s'ajouter des documents douaniers.

Les risques de change[32] ont augmenté à cause des fluctuations des monnaies. On peut se garantir contre ce risque en achetant à terme[33] des devises[34] à un taux fixé d'avance, indépendant des variations quotidiennes du marché au comptant[35].

[29] **connaissement** (*m*) bill of lading
[30] **embarquer** to load
[31] **en bon état** in good condition
[32] **change** (*m*) currency exchange
[33] **à terme** (*m*) on the futures market
[34] **devise** (*f*) foreign currency
[35] **au comptant** (*m*) (on the) spot (market)

QUELQUES DEFINITIONS

franchisage
Le franchisage est un mode de transfert d'un savoir-faire industriel ou commercial appliqué à la distribution de biens ou de services. On dit aussi franchising ou cession de franchise.

franchiseur
Le franchiseur détient une marque de commerce et a mis au point une formule, c'est-à-dire une technologie et des méthodes de gestion qui ont fait leur preuve.

franchisé
Le franchiseur autorise le franchisé à produire et à commercialiser dans son pays, sous cette marque. Le franchisé doit respecter les spécifications d'origine et verse au franchiseur un pourcentage sur son chiffre d'affaires.

Exemples les plus connus de franchisage international:

- les restaurants McDonalds
- les hôtels Hilton
- le Coca-Cola et le Pepsi-Cola
- les chemises Lacoste
- les yaourts Danone

LA BALANCE COMMERCIALE

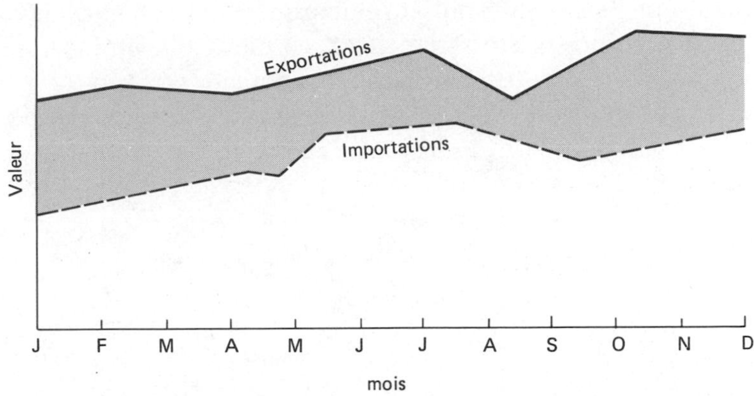

Balance commerciale excédentaire

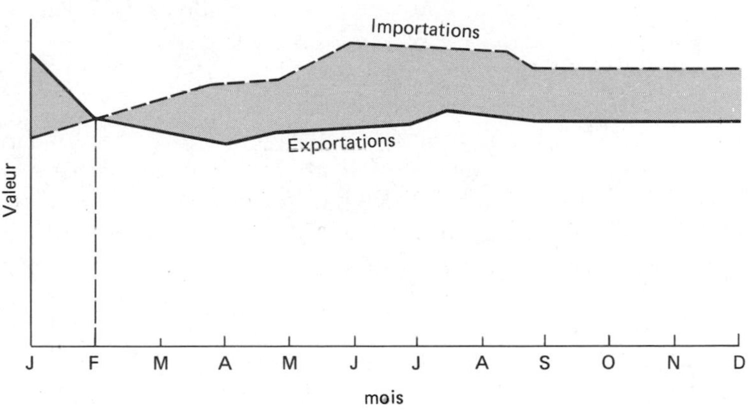

Balance commerciale déficitaire à partir de février

DOCUMENT 29

1. La balance commerciale = exportations *moins* importations.
2. La balance des paiements prend en compte toutes les transactions au cours d'une période donnée:
   - exportations et importations de marchandises
   - services: transports, assurance, tourisme, revenu du capital (intérêts et dividendes)
   - mouvements de capitaux (prêts et investissements).

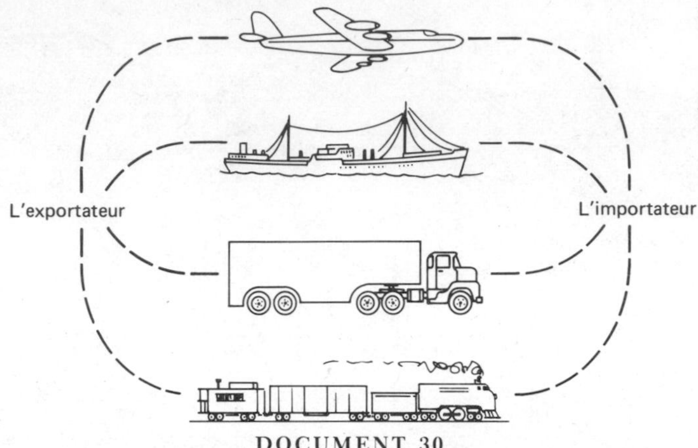

DOCUMENT 30

1. L'importateur demande l'ouverture d'un crédit documentaire à sa banque.
2. L'exportateur expédie la marchandise à l'importateur par avion, par bateau, par la route, par chemin de fer.
3. L'exportateur est payé sur remise de documents (factures, connaissement, certificat d'assurance, documents douaniers) par sa banque en France.
4. La banque de l'importateur rembourse la banque de l'exportateur.
5. L'importateur rembourse le crédit à sa banque.

QUESTIONS

Répondez en faisant une phrase complète.

1. Comment est-ce que la France assure le paiement de son énergie?
2. Quels sont les deux premiers pays exportateurs?
3. Dans quel cas dit-on que la balance commerciale est équilibrée?
4. Qu'appelle-t-on exportations «invisibles?»
5. Combien de Français vivent directement ou indirectement de l'exportation?
6. Expliquez pourquoi l'exportation est presque devenue une obligation pour une entreprise moderne.
7. Que recouvre l'expression «développement international?»
8. Pourquoi la mise en œuvre d'une politique d'exportation exige-t-elle du temps et de la patience?

9. Décrivez le processus général d'implantation d'une entreprise à l'étranger.
10. Comment peut-on se garantir contre les risques de change?

Traduction

Traduisez les phrases suivantes en vous inspirant du vocabulaire et des expressions utilisés dans ce chapitre.

1. At the next general meeting, the chairman will announce an important piece of news.
2. The president's attention was attracted by the remarkable work of the young export manager.
3. I understood all the explanations of the forwarding agent, but I still didn't see what he was driving at.
4. The bill of lading shows that the goods have been loaded in good condition.
5. From now on, we will begin to explore franchising as a means of expansion.
6. All of our product executives have to be able to learn rapidly on the job.
7. Every time I want to implement a plan, he stops the process by asking for more data.
8. The chairman and chief executive officer invited each one to come to her office for a private interview.
9. Her role is to keep informed, and she *does* notice everything.
10. Foreign investments account for a large percentage of our company's profits.
11. The inflation rate has caused a decrease in our profit margin. We need to think about expanding abroad.
12. We must account for all the invoices we paid last year; it's necessary for the meeting.

Thème de discussion et de débat

- Comment réussir à l'exportation (qualité du produit ou du service, aptitude à s'adapter à un marché culturellement différent, rôle de la communication, etc.)

Exercice de correspondance commerciale

De retour de son voyage d'information à l'étranger, Jean-Paul Dupré prépare un rapport à l'intention de la Direction générale.

1. Il rappelle d'abord la mission dont il a été chargé.
2. Il résume les différentes étapes de son voyage: contacts avec les agences et filiales des Biscuiteries Réunies et de Provence Alimentaire; rencontres avec des clients potentiels.
3. Il formule un certain nombre de propositions destinées à favoriser les exportations.

Vous rédigerez ce rapport sous forme de lettre adressée à Monsieur François.

TEST DE VOCABULAIRE III
Chapitres 1 à 15

1. L'essence ordinaire est moins chère que le ______. (6)
2. Dans le nouveau Plan Comptable, le ______ de ______ a remplacé le compte d'exploitation générale et le compte de pertes et profits. (7)
3. On peut communiquer avec un ordinateur à partir de ______ qui en sont parfois très éloignés. (11)
4. Pour dialoguer avec l'ordinateur on a besoin de langages de ______. (11)
5. La ______ est le produit du mariage entre l'ordinateur et les réseaux de transmissions. (11)
6. Par opposition au matériel, l'ensemble des programmes s'appelle ______. (11)
7. Certaines entreprises se spécialisent dans la livraison d'usines ______ en main. (5)
8. Les actionnaires de la société sont contents: l'accroissement des bénéfices permettra une augmentation sensible du ______. (7)
9. Le financement de cet investissement se fera par augmentation de capital et par émission d'______ à intérêt variable. (10)
10. Le droit de ______ est garanti aux travailleurs par la Constitution française. (12)
11. Le ______ d'entreprise est représenté par deux observateurs au conseil d'administration. (2, 8)
12. Le ______ est responsable d'un groupe d'ouvriers. (12)
13. Selon la loi, les syndicats doivent donner un ______ de cinq jours avant tout arrêt de travail. (12)
14. Dans la région parisienne et dans toutes les grandes villes de France, les salariés reçoivent une ______ de transport de leur employeur. (2, 12)
15. On appelle ______ les employés civils de l'Etat. (12, 14)
16. Les technologies avancées, appelées aussi technologies de ______, comportent des risques pour les entreprises. (13)
17. La propriété et l'exploitation exclusives d'une invention sont garanties par un ______. (13)
18. Les représentants distribuent de nombreux ______. Cela permet aux consommateurs de goûter ou d'essayer les produits avant de les acheter. (6)

19. La ______ entre deux sociétés doit être approuvée par les actionnaires réunis en assemblée générale. (14)
20. Il faut augmenter la capacité de production pour obtenir des gains de ______. (14)
21. La Banque de France détient depuis 1803 le privilège de l'émission des ______. (10)
22. Pour un produit donné, il y a corrélation entre la baisse des coûts et l'élargissement de la ______ de marché. (14)
23. OPA signifie ______ ______ d'______. (14)
24. Les barrières ______ sont un obstacle à l'exportation. (15)
25. La balance ______ ne tient pas compte des investissements à l'étranger ou des rentrées de capitaux. (15)
26. C'est en général un ______ qui s'occupe de toutes les formalités d'expédition de marchandise. (15)
27. Le système des ______ permet de limiter l'importation de certains produits. (15)
28. Le ______ est le document indiquant que la marchandise a été embarquée en bon état. (15)
29. La publicité de notre produit ne s'adresse pas à une seule ______ d'âge, mais à un public beaucoup plus vaste. (9)
30. Pour acheter au ______ il faut payer immédiatement. (15)

EPILOGUE

Quelques années ont passé . . .

De responsable, Jean-Paul Dupré est devenu Directeur des exportations. Sa réussite est complète. La fusion a produit les résultats espérés. La société a maintenant une activité largement internationale. Mais Jean-Paul n'a pas oublié sa première ambition, avoir sa propre entreprise.

C'est maintenant chose faite. Il vient de créer avec Marie-Claire Augier et Jacques Rivière une SARL, la SAGE, Société d'Assistance à la Gestion des Exportations.

Nous leur disons bon courage et bonne chance!

RÉPONSES AUX TESTS DE VOCABULAIRE

TEST I

1. hypermarché
2. rabais
3. concours
4. revenu
5. licence
6. chemises
7. stages
8. chiffre (d') affaires
9. primes
10. congés payés
11. capital social
12. sondages
13. nationalisation
14. point
15. usine
16. pénurie
17. manutention
18. marge
19. entrepôt
20. ristourne

TEST II

1. facture
2. supérette
3. commission
4. remise
5. sociéte anonyme
6. revient
7. actif, passif
8. siège social
9. amortissement
10. réserves
11. grossiste
12. procès-verbal
13. achat
14. administrateurs
15. porteur
16. gamme
17. spot
18. annonceur
19. image
20. patronage
21. autofinancement
22. émission
23. barré
24. escompte
25. découvert

TEST III

1. super
2. compte, résultat
3. terminaux
4. programmation
5. télématique
6. logiciel
7. clé
8. dividende
9. obligations
10. grève
11. comité
12. contremaître
13. préavis
14. prime (*or* indemnité)
15. fonctionnaires
16. pointe
17. brevet
18. échantillons
19. fusion
20. productivité
21. billets
22. part

23. offre, publique, achat
24. douanières
25. commerciale
26. transitaire
27. contingents
28. connaissement
29. tranche
30. comptant

LEXIQUE

abord (*m*) access, (*pl*) environs
au premier — at first sight
de prime — at first sight
aborder to land, arrive at, start
aboutir à to end up in, lead to
absorption (*f*) merger
accord (*m*) agreement
accroissement (*m*) increase
accroître to increase
accueillir to welcome, greet, receive
accuser to accuse
— réception (*f*) to acknowledge receipt
achat (*m*) buying, purchasing
acier (*m*) steel
acquisition (*f*) purchase
acte (*m*) action, deed
actif (*m*) assets, credit side
— circulant current assets
action (*f*) share, stock; effect
actionnaire (*m*) stockholder
activité (*f*) activity, business
— de pointe advanced technological business
— fonctionnelle staff activity
— opérationnelle line activity
actualité (*f*) current situation
—s news (on TV, in the press)
actuel current, topical
actuellement currently, at present
addition (*f*) check, bill
adjoint (*m*) aide, assistant
administrateur (*m*) director (board member), administrator
affaire (*f*) item of business; affair
avoir — à to deal with
—s (*f pl*) business
affichage (*m*) putting up posters, bills
affiche (*m*) poster, bill, announcement
afficher to post, put up posters
afin de in order to
âge (*m*) age
le troisième — senior citizens
tranche (*f*) **d'—** age bracket
agence (*f*) branch; agency
— de publicité advertising agency
agent (*m*) **de change** broker
agir to act
s'— to be a question of
agrandir to enlarge
agréer to accept
agro-alimentaire relating to food and agriculture
aide (*f*) grant, subsidy
aigu keen, sharp
aile (*f*) wing
ailleurs elsewhere
d'— besides, furthermore
par — besides, on the other hand
ainsi thus
Airbus (*m*) name of large airplane
s'ajouter to add
alimentaire relating to food
alimentation (*f*) food
alliance (*f*) union, alliance
amabilité (*f*) kindness
amélioration (*f*) improvement
améliorer to improve, make better

amener to bring
amortisation (*f*) amortization
amortissement (*m*) depreciation, amortization
ancien (*m*) alumnus; (*adj*) old; former
animer to get moving, lead
annonce (*f*) advertisement, ad
  petite — classified ad
annonceur (*m*) advertiser
annuaire (*m*) directory published annually
  — de téléphone telephone directory
annuel yearly
antérieur previous
s'apercevoir to notice
appareil (*m*) airplane; device, machine
  — ménager household appliance
apparition (*f*) appearance
appel (*m*) appeal; salutation (letter)
  faire — to call upon, turn to
  faire — à l'épargne publique to advertise for the sale of one's own stocks and bonds
apport (*m*) contribution
apporter to bring, contribute
apposer to put, affix
appréciable quite important
apprentissage (*m*) training, apprenticeship
approbation (*f*) approval
approfondir to deepen
approprié appropriate
approuver to approve
approvisionnement (*m*) acquisition of stock; supply
s'approvisionner to buy stock
arbitrage (*m*) arbitration
artisanal relating to crafts
artisanat (*m*) skilled trades, craftsmanship
assimilé likened, assimilated
assister à to attend; to witness
associé (*m*) partner
assurance (*f*) insurance; insurance business
assurer to insure
  — le paiement to meet the cost
atelier (*m*) workshop
atteindre to attain, reach
attente (*f*) wait, expectation
  dans l' — de awaiting, looking forward to
attention (*f*) attention
  porter — à to be very attentive to
atterrir to land
attestation (*f*) reference, testimonial
attester to attest
attirer to attract, draw
attribution (*f*) duty, function
aucun no, none
augmentation (*f*) increase
augmenter to increase
auparavant previously
auprès de beside, close to
aussi also, as
autant as much, many as
autodidacte (*m* ou *f*) self-made man or woman
autofinancement (*m*) internal financing
autoriser to authorize
autoroute (*f*) highway
autrement otherwise
avancement (*m*) promotion
avantage (*m*) advantage
  — social employee benefit
avenir (*m*) future
avis (*m*) piece of advice, opinion
avoir plusieurs cartes to represent several firms
avouer to admit, confess

baccalauréat (*m*) lycée degree
baisse (*f*) decrease, downward trend
balance (*f*) balance
— **commerciale** trade balance
— **des paiements** balance of payments
bancaire banking, of banks
banlieue (*f*) suburbs
banque (*f*) bank
— **d'affaires** commercial or investment bank
— **de crédit** credit bank
— **de dépôts** deposit bank
— **de données** data bank
barrière (*f*) customs barrier
base (*f*) base, basis; shop floor
de — fundamental, basic
bataille (*f*) battle
bénéfice (*m*) profit
bénéficiaire (*m* ou *f*) beneficiary, recipient, payee (check); (*adj*) profitable
bénéficier (de) to profit, benefit (by); to be entitled to
bénéfique beneficial
biais (*m*) bias, indirect means
bibliothèque (*f*) lending library
bien (*m*) **de consommation** consumer good
bienveillant kind
bilan (*m*) balance sheet
billet (*m*) banknote
Biscuteries (*f pl*) **Réunies** United Biscuit Company
blé (*m*) wheat
bloquer to block
bon (*m*) **de commande** order blank
bord (*m*) side (of a ship), edge
à — on board
au — at the edge, side of
livre (*m*) **de** — ship's log
border to border
botte (*f*) boot
Bourse (*f*) Stock Exchange
bout (*m*) end, extremity
aller jusqu'au — to go all the way
au — at the end of
être à — to be exhausted; to be out of patience
bref in a word, in short
brevet (*m*) patent
brièvement briefly
brouillard (*m*) fog
brut gross
bureau (*m*) office
bureaucratisation (*f*) growth of bureaucracy
bureautique (*f*) computerization of office equipment
but (*m*) goal

cacao (*m*) cocoa
cacher to hide
cadence (*f*) pace, rhythm (of work)
cadet younger
cadre (*m*) managerial staff, executive level; framework
caisse (*f*) **d'épargne** savings bank
camion (*m*) truck
camionnette (*f*) small truck
campagne (*f*) campaign
canalisation (*f*) industrial pipe
candidature (*f*) application
cantine (*f*) company cafeteria
capital (*m*) capital at par, amount of money
— **social** capital stock
capital major
capitaux (*pl*) **propres** stockholders' equity

carte (*f*) map; card; menu
— **de crédit** credit card
carton (*m*) cardboard
cas (*m*) case
le — échéant should the occasion arise, occasionally
CEE (Communauté Economique Européenne) Common Market (EEC)
ceinture (*f*) belt, safety belt
célibataire (*m* ou *f*) single person
centrale (*f*) **d'achat** central purchasing organization
centre (*m*) **nerveux** nerve center
cependant however
certes indeed, to be sure
cession (*f*) transfer, sale
chacun(e) each one
chaîne (*f*) channel
travail (*m*) **à la —** assembly-line work
change (*m*) currency exchange
changement (*m*) change, modification
chaque each
charbon (*m*) coal
charge (*f*) expense; load
autres —s miscellaneous expenses
— **exceptionnelle** nonoperating expense
—**s de personnel** wages
chargé loaded
— **de** in charge of, charged with
chasse (*f*) hunt, hunting
bonne — happy hunting
chauffage (*m*) heating
chef (*m*) head, chief
—**-comptable** chief accountant
— **de produit** product executive
— **d'œuvre** masterpiece
cheminement (*m*) progress, path
chemise (*f*) file folder
chèque (*m*) check
— **barré** crossed check
— **déjeuner** (*m*) lunch voucher
— **de voyage** traveler's check
chéquier (*m*) checkbook
chercher to look for; to seek; to try
chercheur (*m*) researcher
chétif sickly, weak
chiffre (*m*) sum, amount, figure
— **d'affaires** turnover, total sales
chimie (*f*) chemistry; chemical industry
choix (*m*) choice
chômage (*m*) unemployment
cible (*f*) target
ciel (*m*) sky
ci-joint attached, accompanying
circonstancié detailed
circulaire (*f*) circular
clé (*f*) key
client (*m*) client, customer
clientèle (*f*) customers, patrons
colle (*f*) glue
coller to stick, glue
colonie (*f*) **de vacances** summer camp
combinaison (*f*) combination, arrangement
combler to fill in
comité (*m*) **d'entreprise** committee of elected officials representing all levels of company employees
commandant (*m*) captain
commande (*f*) order
commentaire (*m*) comment
commerçant (*m*) merchant; (*adj*)

in the retail trade, dealing with business or trade
commerce (*m*) business, commerce
commercial commercial
commissaire (*m*) **aux comptes** auditor
Communauté (*f*) **Economique Européenne (CEE)** Common Market (EEC)
compétence (*f*) legal capacity, jurisdiction
comportement (*m*) behavior
comporter to entail, include
composante (*f*) component
se composer (de) to consist of
comprendre to understand; to include
compression (*f*) reduction, retrenchment
compris included
comptabilité (*f*) accounting
 — analytique managerial accounting
comptable (*m*) accountant
au comptant (on the) spot (market), cash
compte (*m*) account
 en fin de — (in the) final analysis, ultimately
 — de résultat income statement
 — rendu (*m*) report
 — tenu taking into account
 rendre — de to account for
 se rendre — de to realize, be aware of
compter to count
 à — de starting from
concéder to grant, concede
concours (*m*) contest, competition, competitive exam
concurrence (*f*) competition
concurrent (*m*) competitor
concurrentiel competitive
conditionnement (*m*) packaging
conduire to drive; to lead
conduite (*f*) management
confiance (*f*) confidence, trust
confier to entrust, confer, assign to
conflit (*m*) conflict
congé (*m*) time off, holiday
 — payé paid vacation
conjoncture (*f*) situation, circumstances
conjugaison (*f*) joining, combination, alliance
connaissance (*f*) knowledge
 en — de cause with full knowledge
connaissement (*m*) bill of lading
conscient aware
conseil (*m*) piece of advice; council
 — d'administration board of directors
conseiller to advise
consigner to write down, record
consommables (*m pl*) supplies
consommateur (*m*) consumer
constater to verify, notice, establish, note
constituer to found, set up
constitution (*f*) incorporation
construction (*f*) building, construction
 — électrique electrical engineering
contenance (*f*) capacity
contenir to contain, hold
se contenter to be satisfied
contenu (*m*) contents
contingent (*m*) quota
continu continuous, unceasing
contracter to incur
contrainte (*f*) constraint, restriction

contrat (*m*) contract
contremaître (*m*) supervisor, foreman
contre-proposition (*f*) counter-proposal
contrôle (*m*) supervision, checking
contrôleur (*m*) **de gestion** controller, comptroller
convenir de to agree; to be appropriate, fitting, suitable
convention (*f*) **collective** collective agreement
convocation (*f*) letter for an appointment; summons
convoquer to convene, summon
costume (*m*) suit
Côte (*f*) **d'Azur** French Riviera
coter to quote or list on the Stock Exchange
côtoyer to be in contact with
courant (*m*) current month
  au — informed
couramment fluently
couronner crown
courrier (*m*) mail
cours (*m*) class, course
  au — de in the course of
  en — in progress, under way
  en — de during
course (*f*) **— à pied** running
courtois polite, courteous
coût (*m*) cost
coûteux costly
craindre to fear
crainte (*f*) fear
cravate (*f*) tie
créance (*f*) **d'exploitation** accounts receivable
  — douteuse bad debt
crédit (*m*) **documentaire** documentary credit
créer to create
crise (*f*) crisis
croissance (*f*) growth
croître to grow
cumuler to hold several (offices, salaries, etc.)

dactylo(graphe) (*f*) typist
à la dactylographie being typed
davantage more
débordé rushed, overloaded
  être — to be overwhelmed, rushed, overloaded
déborder to overflow, extend
débouché (*m*) market, outlet
débrayage (*m*) walkout, stoppage
débutant (*m*) beginner
débuter to start out
décider to decide, persuade
décoller to take off; to unstick, unglue
découler (de) to arise, result (from)
découvert (*m*) overdraft
décrire to describe
décrocher to pick up the receiver
défavorable unfavorable
défenseur (*m*) defender
défi (*m*) challenge
déficitaire showing a deficit, in the red
défilé (*m*) parade
en définitive finally, in short, after all
dégager to evolve
en dehors de outside of
déjà already
délai (*m*) time limit, time allowed, delay
délégué (*m*) delegate
demande (*f*) demand, request, application
demandé in demand
démarrer to start
demeurer to remain, stay

démissionner to resign
dénomination (*f*) **sociale** legal company name
dénoncer to denounce
denrée (*f*) produce, commodity, good
département (*m*) department
dépasser to go beyond
dépendre (de) to depend on, be under the authority of
déplacement (*m*) travel, trip
dépréciation (*f*) lessening of value
depuis since
dernier last; top
dernier-né (*m*) last-born
désaffection (*f*) falling away from
désigner to appoint
se désintéresser (de) to lose interest in
désœuvré idle, without work
désormais henceforth, from now on
desservir to serve, connect up
dessinateur (*m*) artist
dessiner to draw, design
destinaire (*m*) addressee, recipient
détail (*m*) retail
détaillant (*m*) retailer
détaillé detailed
détenir to hold, be in possession of
détenteur (*m*) **(de titres)** (stock)holder
détention (*f*) holding, possession; imprisonment
détester to hate, dislike
détour (*m*) detour
  sans — straightforwardly
dette (*f*) debt
  — d'exploitation accounts payable
  —s financières à court terme short-term debt
DEUG (Diplôme d'Etudes Universitaires Générales) degree conferred after two years in a university
devenir to become
deviner to guess
devise (*f*) foreign currency
devoir to be obliged; to owe
dévoué devoted
différenciation (*f*) differentiation
diffuser to distribute
dimension (*f*) size
diminution (*f*) decrease
diplôme (*m*) degree, diploma
diplômé (*m*) graduate; (*adj*) graduated
dire to say
  c'est-à-— that is, i.e.
directeur général (*m*) general manager, president
direction (*f*) supervision, management; division
dirigeant (*m*) leader, top executive
discipline (*f*) subject, discipline
discret discreet, unobtrusive
dispenser to administer, give, dispense
disperser to scatter
disponible available
disponibilités (*f pl*) liquid assets
disposé willing, inclined
disposer (de) to have at one's disposal, enjoy, have the right to
disposition (*f*) arrangement, disposal; state of mind, attitude
  mettre à la — to make available to
  rester à l'entière — to remain fully available
disque (*m*) record
disséminer to scatter, spread

distingué distinguished, eminent
distributeur (*m*) **de billets** cash machine
dividende (*m*) dividend
divers various, miscellaneous
doctorat (*m*) doctorate
domaine (*m*) field, area
domicile (*m*) residence
données (*f pl*) data
dossier (*m*) file; seat back
dotation (*f*) allowance
doter to endow
douanier customs
double (*m*) duplicate, copy
douter to doubt
  s'en — to expect, think
  je m'en doute I'm not surprised
douteux doubtful
dressage (*m*) training
dresser to put up; to train
  se — to stand, rise
droit (*m*) right; law; fee
  avoir — à to be entitled to
  — des affaires business law
  — de timbre stamp duty
durée (*f*) length of time
durer to last

échantillon (*m*) sample
échange (*f*) exchange
échapper to escape
  rien ne vous échappe you notice everything
échelle (*f*) scale, ladder
  à grande — on a large scale
échelon (*m*) rung, level
échouer to fail
éclair (*m*) (bolt of) lightning
éclairage (*m*) lighting
éclaircir to make clear
  s'— to clear up
éclaircissement (*m*) explanation
éclairé informed, knowledgeable
éclairer to clear up
éclater to break out; to be dissolved, break up
écoulement (*m*) sale, disposal, turnover
écouler to sell, dispose of
écran (*m*) screen
effacer to erase
effectif (*m*) total number of employees, enrollment
effectuer to make, perform, take
effervescence (*f*) effervescence
  en pleine — very busy
effet (*m*) effect
  en — indeed, true
efficacité (*f*) efficiency, effectiveness
à l'égard de with respect to
élaboration (*f*) development and perfecting
élaborer to work out
élargissement (*m*) extension, widening
élevé high
élire to elect
élogieux praiseworthy, commendatory
emballage (*m*) wrapping
embarquer to load
émission (*f*) issue
émettre to issue, express, emit
emmagasiner to store
emmener to take
empêcher to hinder, stop
emplacement (*m*) site, location
emploi (*m*) use; job, employment
employé (*m*) employee
employeur (*m*) employer
emprunt (*m*) loan
  — obligataire bond issue
enchanté delighted
encourir to incur
endossable endorsable

endosser to endorse
engagement (*m*) hiring, employment; commitment
  tenir l'— to fulfill one's obligation
engager to hire; to implicate, involve
  s'— à to pledge, commit oneself (to)
ennui (*m*) problem, drawback; boredom
ennuyeux boring
enquête (*f*) enquiry, investigation; survey
enregistrer to register
enrichissement (*m*) enrichment
enseigne (*f*) sign
  — lumineuse neon sign
enseignement (*m*) **supérieur** higher education
ensemble (*m*) whole, set
entente (*f*) agreement, cooperative arrangement
entourer to surround
entraîner to entail, effect
entrée (*f*) **en matière** introduction
entrepôt (*m*) warehouse
entreprendre to undertake
entreprise (*f*) enterprise, business, undertaking
entre-temps meanwhile, in the meantime
entretenir to maintain, keep up
  s'— avec to have a conversation with
entretien (*m*) interview; maintenance
énumérer to list, enumerate
environ about, approximately
envisageable foreseeable
envisager to think about, consider, foresee
épais thick
épanouissement (*m*) development, blossoming
épargne (*f*) saving
éparpillé scattered
épicerie (*f*) grocery
épreuve (*f*) test, examination
épuisé exhausted, unavailable, out of stock
épuiser to wear out, exhaust
équipe (*f*) team
équilibré balanced
équivaloir to be equivalent
ère (*f*) era
escompte (*m*) discount
  — de règlement cash discount
espace (*f*) space
espèces (*f pl*) cash
esprit (*m*) spirit, wit
essai (*m*) trial, test
essayer to try
essence (*f*) gasoline
essor (*m*) rise
estimation (*f*) appraisal, estimate
établissement (*m*) institution
étage (*m*) story, floor
étagère (*f*) shelf
étape (*f*) stage, step
état (*m*) state
  en bon — in good condition
éteindre to extinguish, put out
s'étendre to extend, stretch out
étoffé important, substantial
étonnement (*m*) surprise
étranger foreign
  à l'— abroad
être to be
  — dans l'obligation (*f*) to be forced to
  — en mesure de to be in a position to
  vous y êtes pour quelque chose you contributed to it
étroit narrow; close

étroitement closely
étude (*f*) research, survey
  à l'— under development
évangile (*m*) gospel
événement (*m*) event
éventail (*m*) range, spectrum
éviter to avoid
évoluer to change
excédentaire showing a surplus, in the black
excéder to go beyond
exemplaire (*m*) copy
exercice (*m*) fiscal year
exercer to exercise, practice
exiger to require
exigibilité (*f*) payability (time set for payment)
expéditeur (*m*) sender
expédition (*f*) shipping , forwarding
expérience (*f*) experiment, experience
expérimenté experienced
expérimenter to experiment, test
expiration (*f*) termination
exploitable usable
exploitation (*f*) development, operation
  compte d'— générale trading account
  résultat d'— operating income or loss
exposé (*m*) report
exprès on purpose
exprimer to express

fabricant (*m*) manufacturer
fabrication (*f*) manufacturing
faciliter to ease, facilitate
façon (*f*) way
  c'est une — de parler that's one way of putting it
facturation (*f*) billing
facture (*f*) bill, invoice
faillite (*f*) failure, bankruptcy
faire to make, do
  — de son mieux to do one's best
  — face à to face up to
  — partie (de) to be part (of), belong to
  — place à to give way to
  — preuve to show, display
  — ses preuves to prove oneself, demonstrate one's values
  — venir to have (someone) come
au fait by the way
falloir to be necessary
  s'en — de peu to be not far from
fantasque fickle
favoriser to promote, favor
féliciter to congratulate
ferme (*f*) farm
fêter to celebrate
fiable reliable
fiançailles (*f pl*) engagement
fibres (*m pl*) **ciment** fibrous cement
fictivement fictiously
fil (*m*) thread
  au — de along, in the course of
filiale (*f*) subsidiary
financement (*m*) financing
financier financial
fixe (*m*) base salary
fixer to set up, arrange
fonctionnaire (*m*) civil servant, government employee
fonds (*m pl*) funds
force (*f*) **de vente** sales force
formalité (*f*) formal procedure
formation (*f*) training
former to train, form

formule (*f*) **de politesse** complimentary close
fournir to supply, provide
fraîcheur (*f*) freshness
frais (*m pl*) expenses, cost
  rentrer dans leurs — to recover their expenses
franc frank
franchisage (*m*) franchising
franchisé (*m*) franchisee
franchiseur (*m*) franchiser
freiner to restrain, slow down
fréquenter to frequent
friandise (*f*) delicacy, sweet
frontalier (*adj*) border
frontière (*f*) border
au fur et à mesure (de, que) along (with), as
fusion (*f*) merger, consolidation
fusionner to merge, consolidate

gagner to earn, win
gamme (*f*) line, gamut
garantir to guarantee, ensure
garder to keep
générateur generating
génie (*m*) genius
gérant (*m*) managing director, manager
gérante (*f*) managing director, manager
gérer to direct, manage
geste (*m*) gesture, motion
gestion (*f*) management
  — de stock inventory management
gestionnaire (*m*) administrator, manager
gourmand expensive to run; fond of eating
gourmandise (*f*) greediness, gluttony; appetite
  —s special dishes, sweets
gourmet (*m*) gourmet
goût (*m*) sense of taste; taste, liking for
goûter (*m*) snack
grâce à thanks to
grand big, large
  il est — temps it's high time
grandissant growing
gravir to ascend, climb
gré (*m*) will
  bon — mal — whether we like it or not
grève (*f*) strike
gros large, big
  en — wholesale
grossiste (*m*) wholesaler

habileté (*f*) cleverness, skill
habiller to dress
hall (*m*) lobby
hausse (*f*) rise
à hauteur de up to a maximum of
hebdomadaire (*m*) weekly (magazine); (*adj*) weekly
hélas alas, darn it
héritier (*m*) heir
heure (*f*) hour, time
  à l'— on time
  —s d'ouverture business hours
hexagone (*m*) hexagon; France (figuratively, because of its shape)
hommage (*m*) respect
honorer to do credit (to); to meet (a payment), fulfill (an order)
horaire (*m*) **à la carte** flextime
hypermarché (*m*) large supermarket

ignorer to be unaware of
illimité unlimited

image (*f*) **de marque** brand image
immeuble (*m*) building
immobilisations (*f pl*) fixed assets
imparfait imperfect
implantation (*f*) setting up, establishing operations
s'implanter to establish oneself
important important; large, considerable
imposable taxable
imposition (*f*) taxation, assessment
impôt (*m*) tax
 — sur le revenu income tax
 — sur les bénéfices corporate income tax
imprévisible unforeseeable
imprévu unforeseen
impuissant powerless
inciter to urge, encourage
inclus included
inconscient unconscious
inconvénient (*m*) drawback
indemnité (*f*) compensation, allowance
 — de licenciement severance pay
 — de transport transportation allowance
indéterminé undetermined, indefinite
indice (*m*) index
s'indigner to be indignant
indiscrétion (*f*) indiscretion, indiscreet remark, "leak"
individu (*m*) individual, person
individuel (*adj*) individual, personal
industrie (*f*) **nucléaire** nuclear industry
 — spatiale space industry
inexactitude (*f*) inaccuracy
inférieur à less than
informaticien (*m*) EDP (Electronic Data Processing) specialist, computer scientist
informatique (*f*) data processing, computer science
informatisé computerized
ingénierie (*f*) engineering
ingénieur (*m*) engineer
inquiétude (*f*) worry, concern
inscrire to inscribe, write, enter
inspirer to inspire
 s'— to derive inspiration
installation (*f*) physical plant
 — technique machinery and equipment
installer to set up, install
instauré founded
s'intégrer to combine, join (with)
interdire to forbid
s'intéresser (à) to be interested in
à l'intérieur (*m*) **de** inside
par l'intermédiaire (*m*) through the medium of, by means of
internat (*m*) resident post-graduate program
interne internal
intervenir to interrupt; to intervene; to take place
inutile useless
inversement inversely
investissement (*m*) investment
involontaire unintentional
isolation (*f*) insulation

jeu (*m*) **de mots** pun
ci-joint attached, accompanying
jour (*m*) day
 du — au lendemain over night
journalier daily
juridique judicial, legal
jusque dans until, down to

justice (*f*) justice, law
 par voie de — by legal means

lacune (*f*) hole, lack, gap
lancement (*m*) introduction, launching
lancer to introduce, launch
lendemain (*m*) following day
 du jour au — overnight
en liaison (*f*) **avec** in contact with
libre free
licence (*f*) university degree
licenciement (*m*) dismissal
lien (*m*) tie, bond
 — de subordination chain of command
lier to associate, link, tie
lieu (*m*) place, spot
 avoir — to take place
 tenir — de to stand instead of, be considered as
livraison (*f*) delivery
livre (*m*) **de bord** ship's log
livrer to deliver
loger to stay, live
logiciel (*m*) software
loi (*f*) **de l'offre et de la demande** law of supply and demand
loin far
 de — by far
loisir (*m*) free time, leisure
louer to rent
lourd heavy
lutte (*f*) fight, struggle
lutter to fight, struggle
luxe (*m*) luxury

madeleine (*f*) small shell-shaped cake
magasin (*m*) store, warehouse
main-d'œuvre (*f*) labor
maintenir to maintain
maintien (*m*) maintenance; bearing
maison (*f*) house; firm
maîtrise (*f*) mastery, control; master's degree
majoritaire (*m*) majority stockholder
malgré despite, in spite of
mandat (*m*) commission
 avoir — to have full authority
mandataire (*m* ou *f*) authorized agent, proxy
maniable handy, movable
manifestation (*f*) demonstration, riot
manquer to miss, lack, be short of
manuscrit handwritten
manutention (*f*) handling
manutentionnaire (*m*) porter, handler
maquette (*f*) mock-up, layout
marche (*f*) running, functioning
marché (*m*) market
marcher to go well, work
marge (*f*) margin
 — bénéficiaire profit margin
mariage (*m*) **de raison** marriage of convenience
marque (*f*) brand
matériel (*m*) equipment, hardware
matière (*f*) subject, matter
 en — de in the matter of, concerning
 — première raw material
 —s consommables supplies
mécanique (*f*) machinery, mechanical engineering
meilleur better
même same, even, very
menacer to threaten

ménager household (*adj*)
mener to lead
meneur (*m*) leader, ringleader
mensonger misleading, lying
mensuel (*m*) monthly (magazine); (*adj*) monthly
message (*m*) **publicitaire** advertising message
mesure (*f*) measure
  dans la — de in so far as
  être en — de to be in a position to
métal (*m*) metal, metal industry
mettre to put, place
  — à jour to update
  — à la disposition de to make available to
  — à l'ouvrage to get to work
  — au courant to bring up to date, inform
  — au point to arrange, bring into focus
  — en demeure (*f*) **de** to call on (someone) to
  — en œuvre to implement, use
  — en valeur to enhance
  se— en rapport to get in touch
Midi (*m*) South of France
milliard (*m*) billion
mine (*f*) appearance
mise (*f*) **au point** development and perfecting
mise (*f*) **en place** setting up
modalité (*f*) terms and conditions, clause, form
mode (*m*) means, method, mode; (*f*) fashion
modicité (*f*) limited amount
mœurs (*f pl*) customs, mores
moitié (*f*) half
monnaie (*f*) currency
montant (*m*) amount
mordre to encroach upon
moyen (*m*) means; (*adj*) medium-sized
mur (*m*) wall
muraille (*f*) wall
mutation (*f*) change, alteration
myopie (*f*) myopia, nearsightedness

naissance (*f*) birth
naturellement of course
navire (*m*) ship
néanmoins nevertheless
nécessiter to require
négliger to neglect, disregard, overlook, ignore
négoce (*m*) trade
négociable negotiable
négocier to negotiate, discuss
net net
niveau (*m*) level
nom (*m*) name, noun
norme (*f*) norm, standard
note (*f*) bill

objet (*m*) **social** purpose for which the company or corporation was created
obligataire relating to bonds
  emprunt (*m*) **—** bond issue
obligation (*f*) bond, debenture; obligation
obtention (*f*) earning, obtaining
occasionner to cause
occidental Western
odorat (*m*) sense of smell
œuvre (*f*) work, working
offre (*f*) supply
  — publique d'achat (OPA) takeover bid
offrir to offer

option (*f*) option, specialized course
or (*m*) gold
oral (*m*) oral examination
ordinaire ordinary
 (essence) (*f*) **—** regular (gas)
ordinateur (*m*) computer
ordre (*m*) order
 à l'— de to the order of
 — du jour agenda
organigramme (*m*) organization, flow chart
orienter to direct, turn, steer
ou or
où where
 d'— hence, consequently
ouïe (*f*) sense of hearing
outil (*m*) tool
en outre besides, moreover
ouvrage (*m*) work
 se mettre à l'— to go to work
ouvrier (*m*) worker, blue-collar worker
 — specialisé (OS) semi-skilled worker

paie (*f*) payroll
paiement (*m*) payment
panne (*f*) breakdown
 tomber en — to break down
panneau (*m*) billboard, sign
paperasserie (*f*) useless paper-work, red-tape
papier (*m*) **carton** cardboard
parcours (*m*) **urbain** city driving
paraître to appear, seem
 il paraît I'm told
parmi among
parole (*f*) word
part (*f*) stock, part, share
 d'autre — besides, on the other hand
 de — et d'autre on both sides, on either side
 — de marché market share
partage (*m*) division, sharing
 sans — entirely
partager to share, divide
participation (*f*) interest, share in
 — des salariés aux fruits de l'expansion profit-sharing program
particulier (*m*) person, individual; (*adj*) private; particular
partir to leave, start
 à — de from, beginning with
parvenir to get there, arrive, reach, manage
 faire — to send
 pour y — of achieving it
pas (*m*) step
en passe de in a position to
se passer to happen
 — de to do without
passif (*m*) liability, debt, debit side
patrimoine (*m*) property
patron (*m*) boss
patronage (*m*) sponsoring
pauvre poor, unfortunate
paysan (*m*) peasant
PDG (Président Directeur Général) Chairman of the Board and chief executive officer
péage (*m*) toll, toll booth
peine (*f*) trouble, penalty
 à — scarcely
pénible painful
pénurie (*f*) scarcity, lack
perçu earned; seen
perdre de vue to lose sight of
périphérique peripheral
 station de radio — radio sta-

tion outside France whose broadcasts reach a French public
périssable perishable
en permanence continuously, permanently
personnage (*m*) person, character
perspective (*f*) prospect, perspective
persuadé sure, convinced
perte (*f*) loss
pétrole (*m*) oil, petroleum
peuplé populated
pièce (*f*) piece, part; coin
— **jointe** attachment, enclosure
piège (*m*) trap
pionnier (*m*) pioneer
piquet (*m*) picket
pire worse
p.j. (pièces jointes) enclosures, attachments
place (*f*) place
faire — à to give way to
sur — on the spot
plaisanter to joke
Plan (*m*) **Comptable Général** set of national accounting procedures
plein full
en pleine effervescence very busy
faire le — to fill it up
pleinement fully, totally
plupart (*f*) most part, majority
plusieurs several
plus-value (*f*) increase in value, capital gain
plutôt rather
pluvieux rainy
PME (Petites et Moyennes Entreprises) small-and medium-sized business firms
pneumatique (*m*) tire
point (*m*) point
être sur le — to be on the verge of, about to
— **de vente** point of sale
de pointe in the vanguard of progress, spearhead, highly advanced
politesse (*f*) politeness, courtesy
politique (*f*) policy
polyvalent multi-faceted
ponctuel punctual
portefeuille (*m*) portfolio
porter to bear, carry; to wear
— **attention à** to be very attentive to
— **un jugement** to express an opinion
— **(sur)** to rest, focus (on)
porteur (*m*) stockholder
poser to place, put
— **sa candidature** to apply for
— **un problème** to raise a problem
— **une question** to ask a question
poste (*m*) (TV or radio) set; job, position
postérieurement subsequently
pourcentage (*m*) percentage
poussé extensive
pouvoir (*m*) power; proxy
— **d'achat** buying power
—**s** (*m pl*) **publics** administration, public authorities
pratique (*f*) practice; (*adj*) practical
pratiquer to practice
préavis (*m*) notice, advance warning
précédent preceding, previous
précieux precious, dear, valuable
préciser to specify
préférence (*f*) preference
de — preferably

prélèvement (*m*) deduction
prématuré premature
prendre to take
— **contact avec** to get in touch with
— **du retard** to run behind schedule
— **en main** to take (someone) in hand
près near, close
de — closely, carefully
présentation (*f*) appearance, presentation
présenter to present, introduce
se — to come, to introduce oneself
présidence (*f*) presidency, chairmanship
prêt (*m*) loan
— **hypothécaire** mortgage loan
prétendre to claim, pretend
prétention (*f*) claim
— **s** salary expectations
prévaloir to prevail
se — to avail oneself of
preuve (*f*) proof, evidence
faire — to show, display
prévisible foreseeable
prévision (*f*) forecast
prévoir to foresee, forecast, anticipate
prévu foreseen, scheduled
prier to beg, request, pray
prime (*f*) bonus
— **de rendement** bonus for increased productivity, incentive bonus
— **de transport** transportation allowance
principe (*m*) principle
prioritaire priority
prise (*f*) **de décision** decision-making
privé private
prix (*m*) price; prize
— **de revient** cost price
processus (*m*) process
procès-verbal (*m*) minutes
prochain next, impending, coming
proche near
se procurer to procure, find, obtain
produit (*m*) product; revenue
— **de grande consommation** widely sold item
— **national brut (PNB)** gross national product (GNP)
profiter de to take advantage of
profondeur (*f*) depth
programmation (*f*) programming
projet (*m*) project, plan
prolongement (*m*) extension
prometteur promising
promotion (*f*) promotion, promoting
proposition (*f*) proposal, offer
propre own; clean
propriétaire (*m* ou *f*) owner
propriété (*f*) property, ownership
— **individuelle** personal property
protocole (*m*) **d'accord** procedural agreement
provenir to come
province (*f*) anywhere in France outside Paris
provision (*f*) provision, funds, allowance
— **pour créance douteuse** allowance for bad debt
provoquer to cause, provoke
publicité (*f*) publicity, advertising
puissance (*f*) power
en — potential
puissant powerful

qualité (*f*) quality, capacity
en — de as
quand même anyhow, still
quant à as to, as for, with respect to
quelconque of any kind
en quête (*f*) **de** looking for
quotidien (*m*) daily (newspaper); (*adj*) daily

rabais (*m*) discount, markdown
rafraîchir to refresh
raison (*f*) reason
raisonnable sensible
rajouter to add
ralentir to slow down
ranger to arrange
rappel (*m*) reminder, recall
lettre de — follow-up letter
rappeler to remind
se — to remember
rapport (*m*) report; connection, relationship
rapprochement (*m*) link-up
rattaché à under the authority of, dependent on
ravi delighted
rayonnement (*m*) diffusion; influence
réception (*f*) reception; receipt
accuser— acknowledge receipt
recherche (*f*) research; effort to find, quest
recherché sought-after; select
rechercher to seek, look for
réciproquement mutually, reciprocally
réclamation (*f*) complaint
réclamer to call for, ask for
récolte (*f*) harvest
reconnaissant grateful
avoir recours à resort to, turn to
recouvrer to collect, recover
recouvrir to cover, include
recrue (*f*) recruit
reçu received, admitted
récupérer to salvage
rédaction (*f*) writing, wording
redevance (*f*) tax
rédiger to write
redresser to straighten out
se — to recover
réduire to reduce, restrict
réflexion (*f*) reflection, thought
régal (*m*) treat
régime (*m*) rule, system
règle (*f*) rule, ruler
en— générale as a general rule
réglé in order, paid for
règlement (*m*) rules, regulation; payment
réglementation (*f*) regulation
régler to put in order; to pay
réjouissant pleasant, enjoyable
relatif relating
relier to link, hook up; to join
reliure (*f*) binding
remboursement (*m*) reimbursement
rembourser to reimburse
remède (*m*) remedy
remercier to thank
remise (*f*) rebate, discount; remittance, presentation
remplacer to replace
remplir to fill out
rémunération (*f*) payment, reward
rendement (*m*) return, yield
prime de — incentive bonus
rendez-vous (*m*) appointment
rendre compte to account for
se — — de to realize
se renforcer to grow stronger
renseignement (*m*) information

rentabilité (*f*) profitability
rentable profitable
rentrée (*f*) receipt, inflow
rentrer dans leurs frais to recover their expenses
répandu widespread
répartir to distribute, divide
se — to be divided
répartition (*f*) distribution
répercussion (*f*) consequence
répertoire (*m*) repertory, list
représentant (*m*) sales representative
reprendre to resume, repeat
se reproduire to recur, happen again
requis required
réseau (*m*) network
réserve (*f*) reservation
—s retained earnings
résilier to cancel, terminate
respecter to abide (by)
responsabilité (*f*) responsibility, liability
responsable (*m* ou *f*) supervisor, person in charge
— des exportations export manager
ressentir to feel, experience
ressources (*f pl*) resources, funds
restauroute (*m*) roadside restaurant
restreindre to restrain, restrict
résultat (*m*) result
— après répartition net income after taxes and dividends
— d'exploitation operating income or loss
— net net result (profit or loss)
résulter to result, follow
résumer to sum up
retard (*m*) delay
prendre du — to run behind schedule
retenir to reserve, keep, withhold
retenue (*f*) amount withheld
retirer to draw, withdraw
retourner to return, send back
retrait (*m*) withdrawal
retraite (*f*) retirement
se retrouver to meet
réunion (*f*) meeting
réunir to raise, collect
se — to meet
réussite (*f*) success
se révéler to reveal oneself, appear
revendication (*f*) demand, claim
revenu (*m*) revenue, income
impôt sur le — income tax
risque (*m*) risk, hazard
ristourne (*f*) volume discount, rebate
rivalité (*f*) rivalry
rouler to drive, run
— à l'(essence) ordinaire to use regular (gas)

sain healthy
saisir to seize
salaire (*m*) salary, wages
salarié (*m*) employee
santé (*f*) health
se sauver to run away, leave
savoir-faire (*m*) know-how
scission (*f*) split, division, break
séance (*f*) meeting, session
seconder to help, assist
section (*f*) **syndicale** branch of a union, local
sein (*m*) breast
au — de within, inside
séminaire (*m*) (company) seminar
sens (*m*) sense
sensibilité (*f*) sensitivity

sensible noticeable; sensitive
sentiment (*m*) feeling
service (*m*) service
  libre — self-service
servir de to serve as
sidérurgie (*f*) iron and steel industry
siècle (*m*) century
siège (*m*) seat; company headquarters, central office
signataire (*m*) signer
signature (*f*) signature, signing, signatory
signifier to mean
simple simple; mere; simple-minded
simulation (*f*) simulation
situation (*f*) position, situation
sobre discreet
société (*f*) company, business firm
  — anonyme (SA) corporation
  — à responsabilité limitée (SARL) corporation with limited stockholders
  — de personnes partnership
  — en commandite limited partnership
soit which is to say
  — . . . — either . . . or
solde (*m*) **créditeur** credit balance
  — débiteur debit balance
solidairement jointly
somme (*f*) amount, sum
sondage (*m*) poll
souhaiter to desire, hope, wish
soulever to raise, present
soumettre to submit; to subject
souplesse (*f*) flexibility
souriant smiling
soutenir to support, uphold
soutien (*m*) support
se souvenir to remember
spontané spontaneous
sportif (*m*) athlete; (*adj*) athletic, sporting
spot (*m*) spot ad
stabiliser to steady, stabilize
stade (*m*) stage
  au — de at the level of
stage (*m*) internship
  — exécutant internship in an unskilled function
stagiaire (*m*) intern, trainee
stationnement (*m*) parking
station-service (*f*) gas station
statut (*m*) status, rank; statute, charter
stimuler to stimulate
stock (*m*) inventory
  —s finaux final inventory
  —s initiaux beginning inventory
stockage (*m*) stocking, storage
stylo (*m*) **(à) bille** ballpoint pen
subir to undergo
subvention (*f*) subsidy
subventionner to subsidize
succursale (*f*) branch
succursalisme (*m*) chain-store business
suffrage (*m*) suffrage, voting
suffire to be sufficient
suite (*f*) series
  à la — de following
  — à following
suivi continuous
suivre to follow, take
super (*m*) high-test gas
supérette (*f*) small grocery
supermarché (*m*) supermarket
supplémentaire extra
support (*m*) vehicle, medium, prop
supporter to bear

suppression (*f*) abolishing, cutting out
supprimer to suppress
sûreté (*f*) sureness, soundness
grande surface (*f*) supermarket, large store
surtout particularly, above all
surveiller to watch, supervise
survenir to occur, arise
susceptible (de) likely (to)
susciter to arouse
syndicalisme (*m*) labor unionism
syndicat (*m*) union
syndiqué (*m*) union member; (*adj*) unionized
synthèse (*f*) synthesis
système (*m*) **des contingents** (import) quota system

tableau (*m*) table
tâche (*f*) job, task
  enrichissement (*m*) **des —s** job enrichment
tâcher to try to
taille (*f*) size
tailler to cut, carve
taper to type
tard late
tas (*m*) pile
  sur le — on the job
taux (*m*) rate, ratio
  — d'escompte discount rate
taxe (*f*) tax
  — à la valeur ajoutée (TVA) value-added tax
télématique (*f*) application of the computer to modern communications techniques
temps (*m*) time, tense
  dans un deuxième — as a second step
  dans un premier — at first, to start with

tenir to hold; to carry out
  — à to want to; to be fond of; to result from
  — compte de to take into account
  — lieu de to stand instead of, be considered as
  se — to keep
  se — à la disposition de to be available to, at the disposal of
tenter to tempt
terme (*m*) term, word
  à court — (in the) short term
  à long — long-term; in the long term, run
  à — on the futures market
terminal (*m*) computer terminal
terne drab
terrain (*m*) land, plot
  sur le — in the field
tiers (*m*) third party
timbre-poste (*m*) stamp
tirer to obtain, draw
titre (*m*) title, diploma
  à juste — and rightly so
  à — définitif permanently
tolérer to tolerate, allow
ton (*m*) tone
tort (*m*) wrong
  à — ou à raison rightly or wrongly
tôt early
toucher (*m*) sense of touch
toucher to receive, draw, cash (a check); to affect, touch
tour (*m*) tour, turn; (*f*) tower
tournée (*f*) tour, round
tournure (*f*) expression, formulation
tout au plus at the very most
toutefois however
train (*m*) train

aller bon — to go at a good pace
en — de in the middle, act of (doing something)
mettre en — to start
train-train (*m*) routine
trait (*m*) line
avoir — à to refer to
traite (*f*) installment (on a loan)
traité (*m*) agreement, contract
traitement (*m*) processing
se traiter to be dealt with
tranche (*f*) **d'âge** age bracket
transfert (*m*) transfer
transitaire (*m*) forwarding agent
travail (*m*) work, labor
— à la chaîne assembly line work
travailleur (*m*) worker
tri (*m*) sorting out, selection
type (*m*) type, kind

unité (*f*) unit
université (*f*) university
d'urgence without delay, immediately
usine (*f*) factory
— clé en main turnkey factory
usure (*f*) wear and tear
utilisateur (*m*) user

valablement validly
valeur (*f*) value
vapeur (*f*) steam
veiller à to see to it
vente (*f*) sale, sales
force (*f*) **de —** sales force
verdure (*f*) greenery
vérification (*f*) audit
vérifier to check, inspect
véritable real
verre (*m*) glass
versement (*m*) payment
verser to pay
vin (*m*) wine
— fin quality wine
vis-à-vis de with regard to
viser to aim at
vitrage (*m*) plate glass
vivement warmly, strongly
à vocation (*f*) **multiple** multi-service
vœu (*m*) wish, desire
voie (*f*) way, means
par — de through
voile (*f*) sail, sailing
vol (*m*) theft, flight
voler to fly; to steal, rob
— de ses propres ailes to stand on one's own two feet
voleur (*m*) thief
volonté (*f*) desire, will
volontiers willingly, gladly
vouloir to wish, want
où je veux en venir what I'm driving at
vraisemblable likely
VRP (Voyageur-Représentant-Placier) sales representative on commission
vue (*f*) sense of sight
en — de with the idea of, in order to

yaourt (*m*) yogurt